Atlas de mujeres exploradoras

Texto e ilustraciones de
Riccardo Francaviglia
y Margherita Sgarlata

VVKids
Vicens Vives Kids

CONTENIDOS

ISABELLE EBERHARDT
página 42

1877/1904

GERTRUDE BELL

página 26

1868/1926

IDA PFEIFFER

página 14

1797/1858

MARIA SIBYLLA
MERIAN

página 6

1647 / 1717

ANNIE
SMITH PECK

página 20

1850/1935

ANNIE
"LONDONDERRY"
KOPCHOVSKY
página 34

1870/1947

INTRODUCCIÓN

página 4

ISABELLA BIRD

página 18

1831/1904

ALEXANDRA
DAVID-NÉEL

página 30

1868/1969

JEANNE BARET

página 10

1740/1807

NELLIE BLY

página 22

1864/1922

HARRIET
CHALMERS ADAMS

página 38

1875/1937

GRACE HAY
DRUMMOND-HAY
página 52

1895/1946

VALENTINA
TERESHKOVA
página 62

1937

LAURA DEKKER
página 76

1995

FREYA STARK
página 44

1893/1993

VIVIENNE DE
WATTEVILLE
página 58

1900/1957

ANN BANCROFT
página 68

1955

OSA JOHNSON
página 48

1894/1953

ELLA MAILLART
página 60

1903/1997

EDURNE
PASABÁN
página 72

1973

AMELIA EARHART
página 54

1897/1937

JUNKO TABEI
página 66

1939/2016

LA CURIOSIDAD ES LA CLAVE

La belleza de nuestro planeta ha cautivado a un gran número de personas que decidieron consagrar su vida a la exploración de montañas, ríos y desiertos. Algunos de esos exploradores gozan de un prestigio incuestionable, como Cristóbal Colón, Fernando de Magallanes o James Cook, hombres a quienes diferentes reyes y reinas encomendaron grandes expediciones. Sin embargo, también hubo quienes solo contaron con su valentía y sus propios medios para llevar a cabo tales aventuras. En esa categoría destacan varias MUJERES.

Las exploradoras que aquí presentamos han seguido, en todos los casos, un camino poco transitado. Una de ellas es FREYA STARK, la primera occidental que cartografió el famoso «Valle de los Asesinos», en el desierto de Arabia; otra es JEANNE BARET, que se disfrazó de hombre para emprender un viaje alrededor del mundo. Descubriremos qué inspiró a estas mujeres y las llevó a conseguir tan extraordinarios logros. EDURNE PASABÁN escaló todas las montañas de más de 8000 metros; NELLIE BLY recorrió el mundo en solo 72 días y ALEXANDRA DAVID-NÉEL fue la primera europea que visitó la ciudad de Lhasa, en el Tíbet.

Todas ellas desafiaron las normas sociales e incluso las creencias familiares para lograr sus objetivos, y rompieron con el estereotipo de la mujer débil y carente de ambiciones. ANNIE «LONDONDERRY» KOPCHOVSKI se despidió un día de su familia para ir a recorrer el mundo en bicicleta. ANNIE SMITH PECK escaló el monte Cervino, en los Alpes, y acometió después el ascenso de cumbres todavía más altas (¡y lo hizo vestida nada menos que con pantalones!).

Otras exploradoras, como ISABELLA BIRD, fueron mujeres inquietas que se negaron a llevar una vida de obediencia y comodidades, y se decantaron por la aventura y el riesgo de los viajes. MARIA SIBYLLA MERIAN se marchó de Holanda, su país natal, para estudiar los insectos de los bosques de Surinam. ELLIA MAILLART recorrió en coche las polvorientas carreteras de Asia. GERTRUDE BELL trazó las fronteras de un desierto e IDA PFEIFFER entabló amistad con una tribu de caníbales, como haría casi un siglo después OSA JOHNSON, quien además filmó sus aventuras y las incluyó en varios documentales.

Estas aventureras encontraron el modo de sobrevivir y siguieron adelante sin que el peligro les importara. En la sabana africana, VIVIENNE DE WATTEVILLE Y HARRIET CHALMERS ADAMS hallaron la fuente de inspiración para escribir sus libros. ISABELLE EBERHARDT recorrió las arenas del desierto de la península arábiga, JUNKO TABEI conquistó montañas, y ANN BANCROFT llegó al Polo Norte y al Polo Sur a pie. Conoceremos la sorprendente historia de LAURA DEKKER, una mujer nacida para surcar los mares en velero. Seguiremos las peripecias de GRACE MARGUERITE HAY DRUMMOND HAY, la aventurera que circunvoló el mundo en dirigible; de AMELIA EARHART, la primera aviadora que sobrevoló el océano Atlántico en solitario, y de VALENTINA TERESHKOVA, la primera mujer que contempló la Tierra desde el espacio.

GRACIAS A SU DETERMINACIÓN Y SU CORAJE, ESTAS MUJERES HICIERON POSIBLE LO IMPOSIBLE.

Después de conocer sus vidas, quizá también vosotros os animéis a explorar la Tierra (y, por qué no, ¡cualquier otro lugar del universo!).

MARIA SIBYLLA MERIAN (1647–1717)

«En mi juventud me dediqué a estudiar los insectos».

A lo largo de su vida, Maria Sibylla cultivó una gran pasión por las PLANTAS y los INSECTOS. Le gustaba tanto la naturaleza que aprendió a pintar con el único propósito de recrearla fielmente. Conviene recordar que a finales del siglo XVII no existían las cámaras fotográficas y que, para estudiar y documentar la naturaleza, era imprescindible saber dibujar.

Maria entró en contacto con el arte a una edad muy temprana. Su padre era grabador y, cuando murió, su madre se casó con un pintor de flores. La joven no tardó en dedicarse a dibujar y pintar orugas para estudiar sus fascinantes metamorfosis. Con el tiempo, perfeccionó su técnica de ILUSTRACIÓN y consiguió que sus dibujos fueran cada vez más ricos en detalles científicos. En aquella época, aficiones como la suya eran muy poco comunes, sobre todo entre las mujeres; además, los insectos eran considerados criaturas repugnantes y peligrosas. Pese a ello, Maria nunca dejó de estudiarlos. En 1699, emprendió un viaje por SUDAMÉRICA, durante el cual visitó Surinam con el objetivo de investigar y retratar las numerosas especies de plantas e insectos de la selva tropical.

Al cabo de tres meses de travesía, Maria y SU HIJA DOROTHEA desembarcaron en Paramaribo, la capital de la colonia. Aunque los colonos holandeses las recibieron con los brazos abiertos, quienes ayudaron en realidad a Maria en sus investigaciones fueron los nativos y los esclavos. El viaje resultó muy provechoso: además de dibujar insectos, Maria pudo recolectar especímenes muy valiosos que luego llevó a Europa.

Sus ilustraciones del mundo natural, verdaderas obras de arte, todavía hoy se cuentan entre las más bellas jamás realizadas.

SUPERSTICIONES

El origen del término inglés *butterfly* (mariposa) es bastante curioso. *Butter*, la primera parte de la palabra, significa «mantequilla». Al parecer hace alusión a una creencia muy difundida en la época de Maria, según la cual las mariposas eran brujitas que se alimentaban de mantequilla.

CORAJE FEMENINO

Al darse cuenta de que su marido era incapaz de mantener a la familia, Maria decidió tomar cartas en el asunto. Además de criar a sus hijos y encargarse de la casa, fundó una escuela de pintura y bordado, y publicó maravillosos libros repletos de ilustraciones.

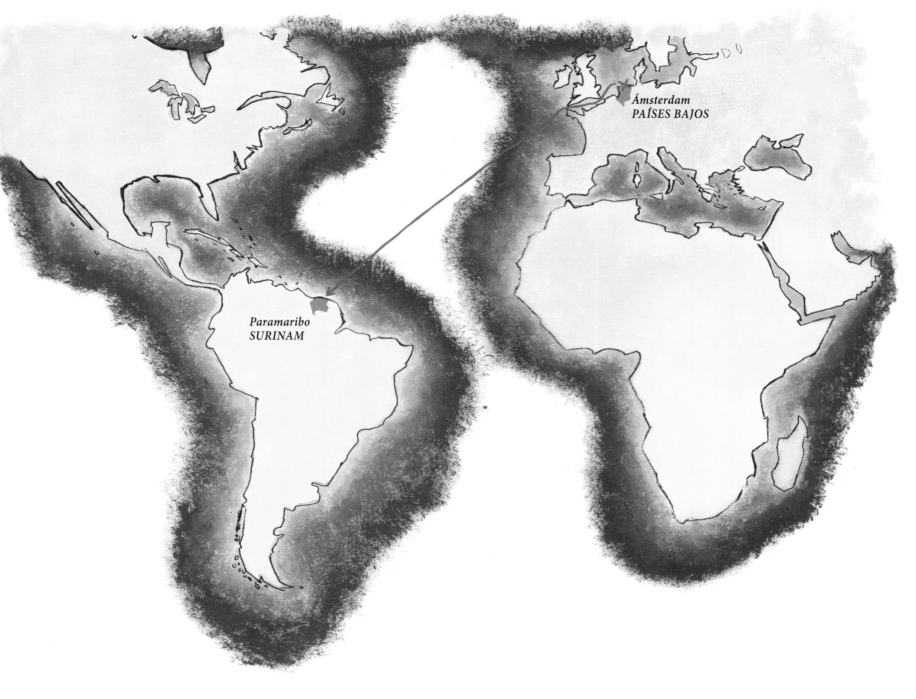

Ámsterdam
PAÍSES BAJOS

Paramaribo
SURINAM

AMOR POR LOS TULIPANES

Maria pasó su infancia en Fráncfort (Alemania), donde solía pasear por hermosos jardines llenos de plantas exóticas que procedían de tierras colonizadas. Le encantaban los tulipanes, que en aquella época se importaban de China.

VIAJES Y LIBROS

Con veinte años, Dorothea, la hija de Maria, decidió acompañar a su madre a Surinam. Durante el viaje, Maria hizo numerosas ilustraciones, muchas de las cuales se publicaron en su libro más conocido: *Metamorfosis de los insectos de Surinam*.

"Admiro muchísimo a mi madre. Ella siempre ha cultivado sus pasiones, y lo ha hecho sin descuidar a la familia. A los cincuenta y dos años, cuando decidió emprender el viaje a Surinam, todos intentaron disuadirla de su propósito. Le decían: "El viaje en barco será arduo y, al llegar, las dos os expondréis a peligros inimaginables". Decían "las dos" porque, al final, decidí acompañarla. Fue un viaje increíble, pero también agotador. Con todo, mi madre jamás se quejó ni perdió un ápice de entusiasmo.

Visitar el continente americano y descubrir otra parte del mundo, una parte quizá insignificante pero que a nuestros ojos parecía inmensa, me hizo darme cuenta de que hay tanta belleza en tantos lugares... Nunca agradeceré lo suficiente a mi madre esta revelación. Ella intentó llevarse a casa un trocito del esplendor de Surinam reflejado en sus ilustraciones. Ojalá la gente las disfrute. En mi corazón perduran las emociones que sentí en aquellos majestuosos bosques. Cuando cierro los ojos, aún puedo oler los aromas que desprendían y recordar sus maravillas."

Dorothea

JEANNE BARET (1740–1807)

«¿Quién hubiera imaginado que el infatigable Baret, experto en botánica al que hemos visto seguir a su maestro en todas las excursiones científicas [...] y transportar provisiones, armas y herbarios con tanta valentía y fuerza [...] era una mujer?». Louis Antoine de Bougainville

El 15 de noviembre de 1766, del puerto francés de Nantes zarpó una expedición dirigida por el conde LOUIS ANTOINE DE BOUGAINVILLE. Era la época de las grandes exploraciones geográficas, y el rey Luis XV de Francia había encargado al conde una EXPEDICIÓN DE CIRCUNNAVEGACIÓN para conquistar nuevos territorios en el Pacífico Sur. El monarca había puesto a Bougainville al mando de dos embarcaciones: *L'Étoile* y *La Boudeuse*.

Dada la gran importancia de la misión, era preciso que entre los tripulantes hubiera científicos capaces de realizar grandes descubrimientos. Con ese fin el conde reclutó al botánico Philibert Commerson y a su asistente, JEAN BONNEFOY.

Sin embargo, Jean Bonnefoy no era quien decía ser, sino una mujer: Jeanne Baret. En aquella época no se admitían mujeres en los navíos franceses, pero el deseo de Jeanne de participar en la expedición era tan grande que, para conseguirlo, con la ayuda y complicidad de Commerson, SE DISFRAZÓ DE HOMBRE.

Jeanne se había criado en el campo y sentía una gran afición por las plantas y las hierbas. Commerson, por su parte, era un prestigioso botánico que, tras quedarse viudo, se había enamorado de Jeanne. Ambos compartían el anhelo de todo naturalista: explorar nuevos territorios. La expedición del conde de Bougainville les permitió cumplir su sueño.

La travesía, sin embargo, fue muy dura para Jeanne, que tuvo que hacer grandes esfuerzos para ocultar su verdadera identidad al resto de los tripulantes. Lamentablemente, en cuanto llegaron a Tahití, un nativo descubrió que era una mujer y reveló el secreto.

Después de este episodio, a Jeanne no le quedó más remedio que abandonar la expedición.

Jeanne y Commerson desembarcaron en MAURICIO y se establecieron en la isla, donde residieron hasta la muerte del naturalista. Más tarde, tras navegar de regreso a Francia, Jeanne Baret se convirtió en la primera mujer que había completado una vuelta al mundo.

EL EQUIPO DEL NATURALISTA

Herido por la mordedura de un perro, Commerson tuvo que dejar en manos de Jeanne el pesado trabajo de desembarcar el instrumental, que incluía víveres, prensas de madera para conservar las muestras, una pala, una tienda, frascos de cristal para guardar semillas, cajas para insectos, lupas, un telescopio, una brújula y una red para cazar mariposas.

PERFUME DE MUJER

Se dice que el nativo de Tahití supo que Jeanne era una mujer por su olor, ya que los hombres de la tripulación no cuidaban su higiene personal.

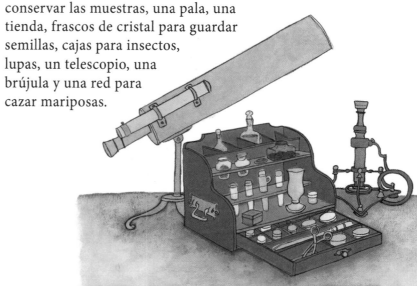

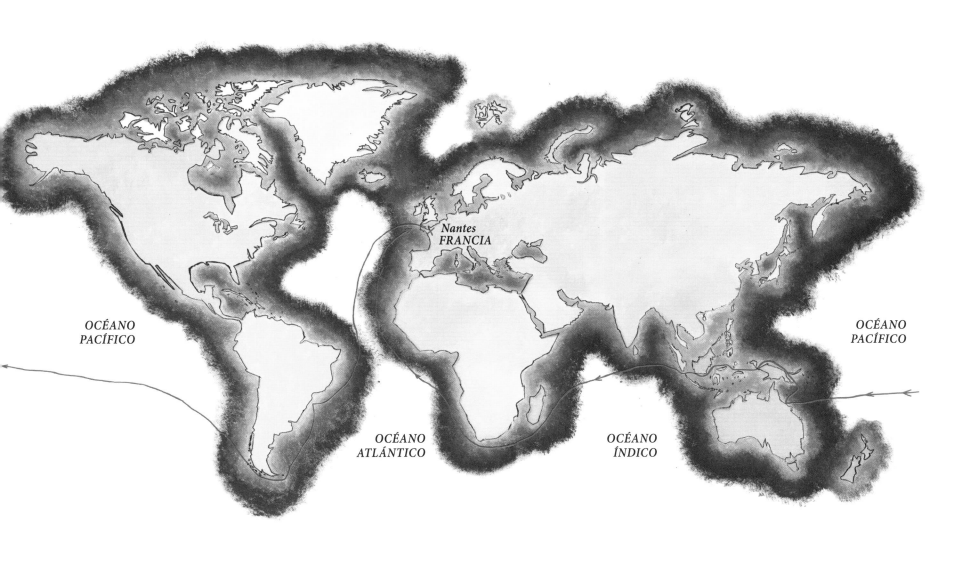

Nantes
FRANCIA

OCÉANO
PACÍFICO

OCÉANO
PACÍFICO

OCÉANO
ATLÁNTICO

OCÉANO
ÍNDICO

EL FINAL DE *LA BOUDEUSE*

La Boudeuse era una hermosa fragata de 40 metros de eslora y 10 metros de manga. A pesar de su valor histórico y de los servicios que había prestado, en el año 1800 fue desmantelada y utilizada como combustible en los hornos de las panaderías francesas.

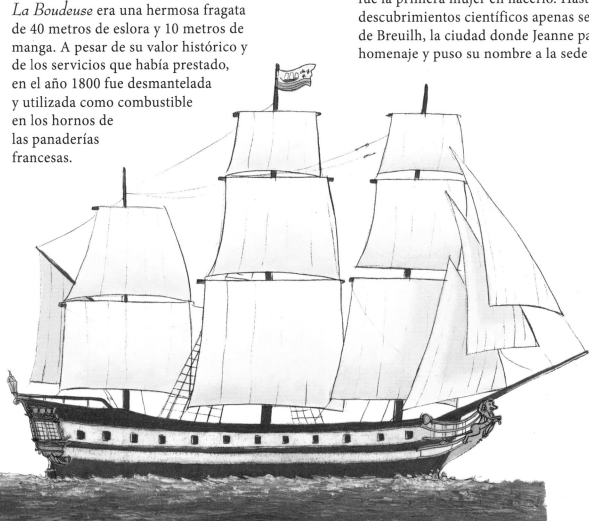

ACTUALIDAD DE JEANNE BARET

Jeanne jamás se propuso circunnavegar el mundo; no obstante, fue la primera mujer en hacerlo. Hasta hace poco, sus hazañas y descubrimientos científicos apenas se conocían. En 2008, Saint Antoine de Breuilh, la ciudad donde Jeanne pasó sus últimos días, quiso rendirle homenaje y puso su nombre a la sede del ayuntamiento.

BUGANVILLAS

En la ciudad brasileña de Río de Janeiro, Jeanne descubrió una planta con flores de color rosa y violeta a la que llamó *Bougainvillea* en homenaje al comandante de la expedición. Hoy, las plantas de ese género, conocidas como buganvillas, adornan los jardines de todo el mundo.

Pasé años enfrascado en la lectura con el propósito de descubrir los secretos de la naturaleza, pero cuando por fin levanté los ojos y miré a mi alrededor, me di cuenta de que era en el exterior donde debía buscarlos, de modo que decidí trasladarme a las afueras de Borgoña. Allí conocí a una joven llamada Jeanne y me enamoré de ella en el acto. Sus ojos, rebosantes de curiosidad por el mundo, y su pasión por las plantas conquistaron mi corazón. Los dos soñábamos con explorar territorios naturales ignotos y, en cuanto se presentó la oportunidad de participar en la expedición de Bougainville, decidimos aprovecharla.

Somos conscientes de los riesgos. Si los tripulantes de *L'Étoile* llegan a descubrir que Jean es una mujer disfrazada de hombre, sin duda seremos castigados. Pero no podría vivir esta experiencia sin ella. Hacen falta cuatro ojos para observar el mundo y describir sus maravillas.

Hoy, en alta mar, mientras cruzábamos el estrecho de Magallanes, he visto una nueva especie de delfines. He llamado a Jeanne. Cuando se ha acercado a mí, me ha susurrado al oído: «Eres el primer naturalista en verlos, llevarán tu nombre». **"**

Philibert Commerson

IDA PFEIFFER (1797-1858)

«Sonrío al pensar en todos aquellos que solo me conocen por mis viajes e imaginan que mi aspecto es más de hombre que de mujer».

Ida Pfeiffer recibió por parte de su padre la misma educación que sus cinco hermanos varones. Durante muchos años, ni siquiera llevó falda. Cuando la madre de Ida enviudó hizo cuanto pudo por refinar a su hija y convertirla en una dama; pero todo fue en vano. Al fin, decidió contratar a una institutriz para que enseñara a la joven todo lo que una mujer austríaca del siglo XIX debía saber: música, costura, literatura y GEOGRAFÍA. Ida quedó fascinada con esta última materia y comenzó a soñar con explorar el mundo.

Poco después, Ida se casó con un abogado y tuvo dos hijos, pero pronto se quedó viuda. Una vez concluida la crianza de los niños, quiso hacer realidad su sueño. En 1842, a los cuarenta y cuatro años, emprendió su primer viaje. Eligió como destino PALESTINA, aunque durante el trayecto también exploró el Mar Negro, Turquía, el Mar Muerto, Egipto e Italia.

Durante el largo viaje, escribió un diario que más tarde publicaría de forma anónima; el éxito del libro la impulsó a realizar una proeza todavía más ambiciosa: un VIAJE ALREDEDOR DEL MUNDO. Logró cumplir aquel sueño dos veces. Tardó varios años en completar las dos vueltas, pero en ambas ocasiones visitó todos los continentes.

En 1857, Ida partió hacia su último destino: Madagascar. Por desgracia, allí contrajo una enfermedad tropical que la obligó a regresar a Viena, donde murió a los sesenta y un años.

Gracias a su determinación e iniciativa, se la considera una de las viajeras más importantes del siglo XIX.

HECHO EN CASA

Dado que las prendas femeninas de la época no eran las más adecuadas para emprender viajes de aventuras, Ida se confeccionaba su propia ropa: bermudas, túnicas, faldas que podían alargarse o acortarse según la ocasión e incluso sombreros hechos de hojas de plátano o de bambú para protegerse del sol.

EL VIAJE INTERMINABLE

Ida recorrió, en total, 260 000 kilómetros por mar y 330 000 kilómetros por tierra. Empleó diferentes medios de transporte: barcos, buques de vapor, camellos, carruajes y, por supuesto, ¡sus pies!

EL PLATO DEL DÍA

Ida fue la primera europea que convivió con los caníbales del pueblo batak que poblaban la isla de Sumatra. En una ocasión, se percató de que tenían la intención de convertirla en el «plato del día». Para salir del apuro comentó a los caníbales que, debido a su edad, su carne era incomestible. Al jefe de los batak el comentario le hizo tanta gracia que la dejó marchar.

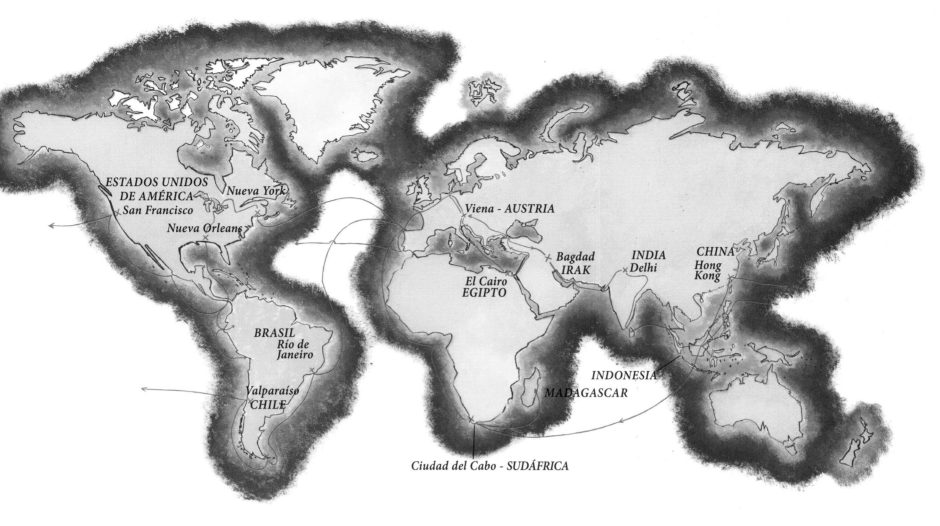

ESTADOS UNIDOS
DE AMÉRICA
San Francisco
Nueva York
Nueva Orleans
Viena - AUSTRIA
Bagdad
IRAK
El Cairo
EGIPTO
INDIA
Delhi
CHINA
Hong
Kong
BRASIL
Río de
Janeiro
Valparaíso
CHILE
INDONESIA
MADAGASCAR
Ciudad del Cabo - SUDÁFRICA

DISTINCIONES

Ida gozaba de tal popularidad
que un explorador alemán,
Alexander von Humboldt,
decidió ayudarla a ingresar en la
Sociedad Geográfica de Berlín
y en la Sociedad Geográfica
Francesa, que por aquella época
solo admitían hombres.

COLECCIÓN DE ANIMALES

En sus viajes, Ida reunió cientos de
ejemplares vegetales y animales que
actualmente se exhiben en varios
museos del mundo. Además, descubrió
por primera vez algunas especies
animales que todavía hoy llevan su
nombre, como las adorables ranas
endémicas de Madagascar de
la especie *Boophis idae*.

15

"En mis viajes por el mundo me he encontrado con culturas muy diversas y he conocido a seres humanos que distan mucho de mi concepto de civilización. Cansada de ellos me dirigí a Rusia, donde creí que podría relacionarme con las personas de mi entorno en un contexto moral y ético compartido. Craso error. En cuanto llegué, me detuvieron y me encerraron en una jaula como a un animal. Durante esos aciagos días pensé mucho en las aldeas que había visitado, y reflexioné sobre la forma en que había juzgado a aquellos pueblos que, por muy primitivos e incomprensibles que pudieran parecer, jamás me habrían humillado ni tratado como a un enemigo.

Esta es la razón por la cual me encuentro hoy aquí, en los impenetrables bosques de Borneo. He venido a conocer a las temidas tribus dayaks, que tienen fama de ser cazadores de cabezas. A decir verdad, he hallado entre los dayaks una inusitada amabilidad y una gran honradez, lo cual difiere mucho de las monstruosidades que se cuentan de ellos. Por lo tanto, me siento obligada a preguntarme cómo ha podido la civilización occidental cometer atrocidades mucho peores y no ganarse la pésima reputación que ha dado a estas culturas. **"**

ISABELLA LUCY BIRD (1831–1904)

«He encontrado un hermoso sueño y lo perseguiré toda la vida».

Isabella siempre fue una muchacha de complexión débil. Padecía de problemas respiratorios, dolores de espalda, insomnio y otras enfermedades. En 1854, tras probar varios tratamientos, el médico de familia le recomendó que viajara. Así pues, su padre le dio 100 libras esterlinas (una suma considerable en aquella época) y la mandó a los Estados Unidos a casa de unos parientes.

El viaje fue un acierto, y la salud de Isabella mejoró. La joven recorrió AMÉRICA DEL NORTE casi de punta a punta. Durante ese período escribió un diario que más tarde, al regresar a Inglaterra, se publicó de forma anónima. A raíz de esa experiencia descubrió que tenía grandes DOTES PARA LA ESCRITURA, y, sobre todo, que los viajes le fortalecían la salud. Durante los años siguientes escribió artículos para varios periódicos del Reino Unido, gracias a los cuales obtuvo los medios económicos necesarios para seguir viajando.

En 1872 emprendió un segundo viaje, durante el cual volvió a visitar América del Norte y exploró Australia y Hawái. La correspondencia que mantuvo durante esa época con su hermana Henrietta, a quien relataba sus aventuras, se publicó en numerosas revistas y, más tarde, en varios libros de gran éxito. Isabella nunca dejó de escribir ni de viajar. En cada libro narraba uno de sus viajes, y, con los ingresos que percibía como escritora, costeaba la siguiente expedición.

En el contexto de una época en que las convenciones sociales obligaban a las mujeres a llevar una vida monótona y sedentaria, Isabella fue UNA REVOLUCIONARIA. En sus viajes por el mundo, rompió varios tabúes: escaló montañas y volcanes, condujo caravanas por el desierto, se enfrentó a tormentas de nieve mientras viajaba a caballo, sobrevivió a numerosos accidentes e incluso fundó hospitales en la India.

Isabella visitó Japón, China, la India, el Tíbet, Oriente Próximo y Marruecos, y, por la gran notoriedad que alcanzó en Inglaterra, su país natal, fue la primera mujer en ingresar en la prestigiosa Real Sociedad Geográfica de Londres.

UNA ARTISTA CON MÚLTIPLES TALENTOS

Además de escritora, Isabella fue una excelente fotógrafa y una talentosa dibujante cuyas fotografías e ilustraciones enriquecían las descripciones de los lugares que visitaba.

AL GALOPE

Isabella aprendió a montar a caballo como los hombres, es decir, a horcajadas. Por comodidad, le gustaba llevar unos exóticos pantalones de montar que había comprado en uno de sus viajes.

CANADÁ

ESTADOS
UNIDOS

Yorkshire
Septentrional

REINO
UNIDO

MARRUECOS

TURQUÍA
SIRIA
EGIPTO IRAK IRÁN

BALTISTÁN

INDIA MALASIA

COREA

JAPÓN

AUSTRALIA

NUEVA
ZELANDA

AMANTE DE UN FORAJIDO

En 1873, durante su estancia en Colorado (Estados Unidos), Isabella se enamoró de un forajido llamado Jim Nugent, junto al cual exploró las montañas Rocosas. Sin embargo, no quiso casarse con él. En una carta dirigida a su hermana, describió a Nugent como un hombre atractivo (a pesar de que le faltaba un ojo) cuyo aspecto tosco y violento ocultaba un alma noble.

UNA VIDA ARRIESGADA

Isabella se encontraba en China cuando el país entró en guerra con Japón. La acusaron de ser una espía y fue capturada por una turba violenta que la encerró en una casa a la que luego prendió fuego. Logró escapar gracias a la intervención de un grupo de soldados chinos.

ANNIE SMITH-PECK (1850-1935)

«Donde esté mi maleta, ahí está mi casa».

De los cuatro hijos que tuvieron Ann y George Peck, Annie era la única niña. Sus hermanos se criaron compitiendo constantemente entre ellos, y lo cierto es que Annie nunca se quedó atrás. Ni siquiera se dio por vencida cuando, por ser mujer, la rechazaron en la Universidad de Brown, donde estudiaban sus hermanos. Su familia le dijo entonces que no tendría más remedio que dedicarse a alguna de las actividades propias de una dama, pero ella optó por matricularse en la Universidad de Michigan, donde admitían a los alumnos sin hacer distinción de género. Allí estudió latín y griego antiguo y, a los veintisiete años, SE GRADUÓ con brillantes calificaciones. Su gran carrera académica la consagró como erudita. Más tarde, en su primer viaje a Europa, descubrió la afición con la que saltaría a la fama: el ALPINISMO. En una visita a Italia, deslumbrada ante la imponente vista del monte Cervino, decidió probar suerte como escaladora.

Al regresar a Estados Unidos comenzó a entrenar de forma intensiva, y, en 1888, consiguió llegar hasta la cumbre del imponente monte Shasta (California), que tiene una altura de 4321 m. No obstante, Annie no había olvidado el monte Cervino, y en 1895, diez años después de haberlo visto por primera vez, ascendió los 4478 metros que había hasta su cima.

Aquella hazaña la catapultó a la fama. Durante los años siguientes escaló montañas todavía más altas, entre las que destacan el Pico de Orizaba, de 5636 metros, en México, y el monte Huescarán, de 6768 metros, en Perú.

Annie fue la primera alpinista del mundo en coronar cumbres tan altas.

Como mujer, tuvo que VENCER MUCHOS PREJUICIOS para alcanzar esas metas y abrirse paso como alpinista y humanista. Su tenacidad ha inspirado a mujeres de todo el mundo, a las que Annie siempre instó a luchar contra la discriminación.

MUJER ESCANDALOSA

Cuando Annie escaló el monte Cervino, muchos periódicos tacharon su indumentaria de «indecente» y «escandalosa». Criticaron durante meses que usara pantalones.

NUNCA ES DEMASIADO TARDE

Annie descubrió su pasión por el alpinismo en la edad adulta. De hecho, escaló el monte Cervino a los cuarenta y cinco años; el volcán Coropuna, en Perú, a los sesenta y cinco; y subió su última cumbre a los ochenta y dos años.

DISTINCIONES

Annie fue miembro de la Real Sociedad Geográfica y de la Sociedad de Mujeres Geógrafas, y socia fundadora del Club de Alpinismo de los Estados Unidos. En 1928, la honraron poniendo su nombre a la cumbre norte del monte Huascarán.

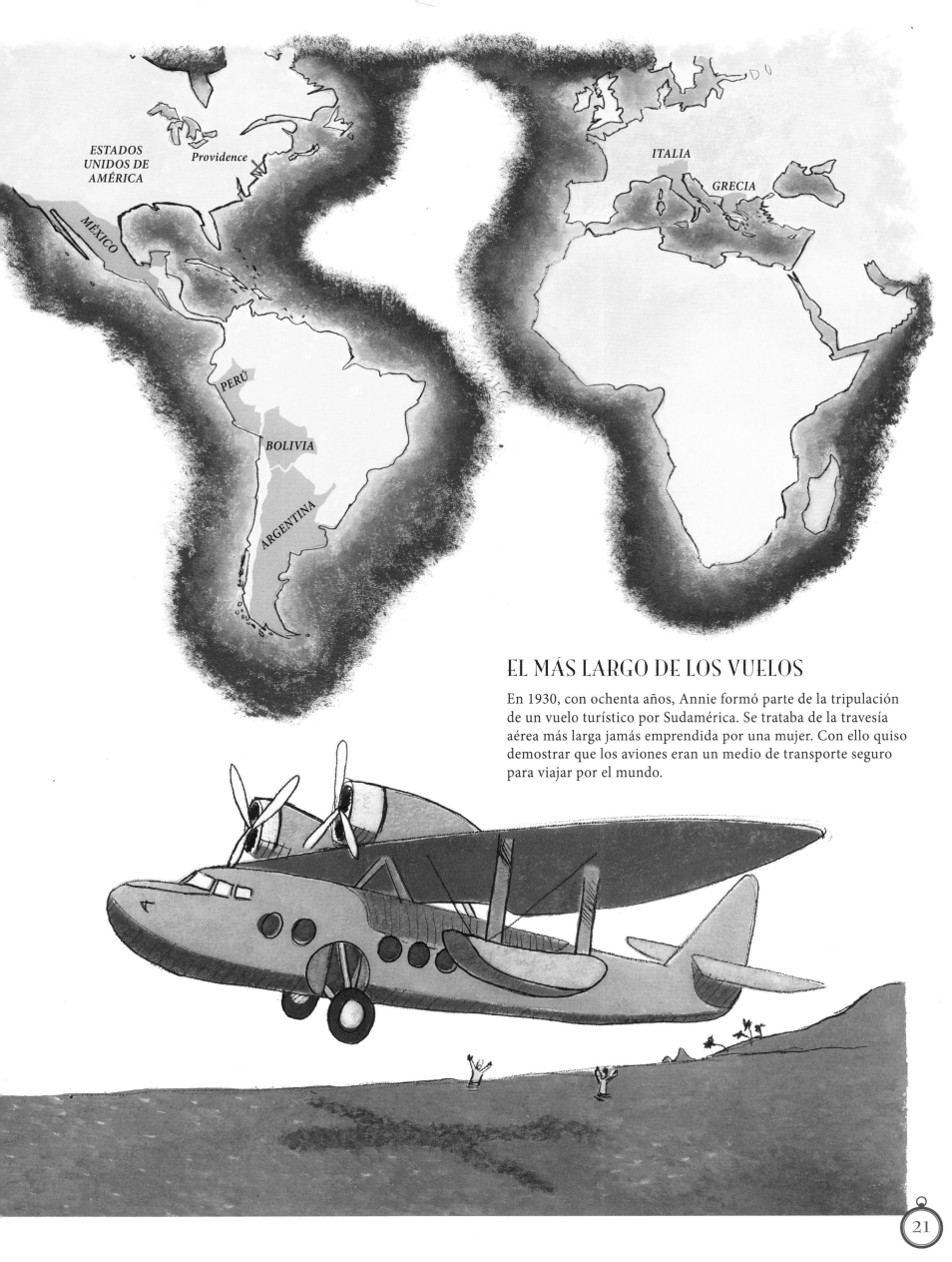

ESTADOS
UNIDOS DE
AMÉRICA

Providence

MÉXICO

PERÚ

BOLIVIA

ARGENTINA

ITALIA

GRECIA

EL MÁS LARGO DE LOS VUELOS

En 1930, con ochenta años, Annie formó parte de la tripulación de un vuelo turístico por Sudamérica. Se trataba de la travesía aérea más larga jamás emprendida por una mujer. Con ello quiso demostrar que los aviones eran un medio de transporte seguro para viajar por el mundo.

NELLIE BLY (1864-1922)

«Nunca he escrito una palabra que no me saliera del corazón. Y no pienso dejar de hacerlo».

Cuando Elizabeth Jane Cochran se topó con un artículo del periódico titulado «¿QUÉ FUNCIÓN CUMPLEN LAS MUJERES?», no sospechó en ningún momento que aquel episodio iba a cambiarle la vida. Indignada, redactó una carta de contestación, la firmó con el pseudónimo de Huérfana Solitaria y la remitió al periódico. El director de la publicación quedó tan impresionado que decidió contratarla en el acto. Se podría decir, pues, que el debut de Elizabeth en el mundo del PERIODISMO no fue en absoluto convencional.

En 1887 la joven se incorporó al diario *THE NEW YORK WORLD*, cuyo jefe de redacción, Joseph Pulitzer, le asignó el pseudónimo NELLIE BLY y le propuso escribir un artículo que la convertiría en una de las más grandes investigadoras periodísticas de la época. Con una identidad falsa, Elizabeth pasó diez días ingresada en un hospital psiquiátrico para mujeres y sufrió los abusos que los empleados cometían con las pacientes. Al salir del centro, contó su experiencia en una serie de artículos que suscitaron un enorme revuelo.

En vista de su valentía y determinación, el periódico le encomendó tareas cada vez más complejas. En 1888, Joseph Pulitzer tuvo la ocurrencia de imitar la hazaña de PHILEAS FOGG, el protagonista de *La vuelta al mundo en ochenta días*, la célebre novela de Julio Verne. Nellie Bly aceptó la propuesta con entusiasmo y decidió acometer la empresa en solitario.

El 14 de noviembre de 1889, partió de la ciudad de Hoboken, en Nueva Jersey. Su viaje captó la atención de la prensa, y los lectores pronto se aficionaron a las aventuras de Bly, que iba escribiendo artículos para el periódico desde las distintas partes del mundo por las que pasaba. Nellie regresó a los Estados Unidos el 25 de enero de 1890, tras recorrer Inglaterra, Francia, Italia, Egipto, Yemen, Sri Lanka, Malasia, Singapur, China y Japón. De hecho, tardó SETENTA Y DOS DÍAS, seis horas, once minutos y catorce segundos en dar la vuelta al mundo, y con ello demostró que las mujeres son capaces de realizar ellas solas las mayores hazañas.

SOLO LO IMPRESCINDIBLE

Nellie se negó a viajar con revólver. En su bolso de piel, llevaba solo lo imprescindible: material de escritura, aguja e hilo, una bata, tres bufandas, una taza, dos sombreros, un par de zapatillas, un impermeable, ropa interior y algunos pañuelos. ¡Lástima que se olvidara de la cámara de fotos!

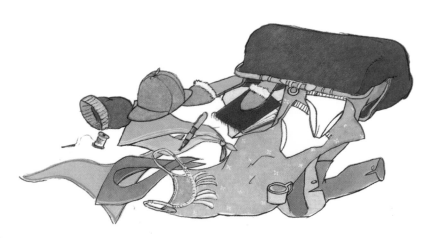

EL JUEGO DE MESA DE NELLY

Nelly alcanzó tal popularidad que el periódico en el que trabajaba mandó fabricar un juego de mesa llamado «La vuelta al mundo con Nellie Bly», en el que los jugadores podían seguir su itinerario.

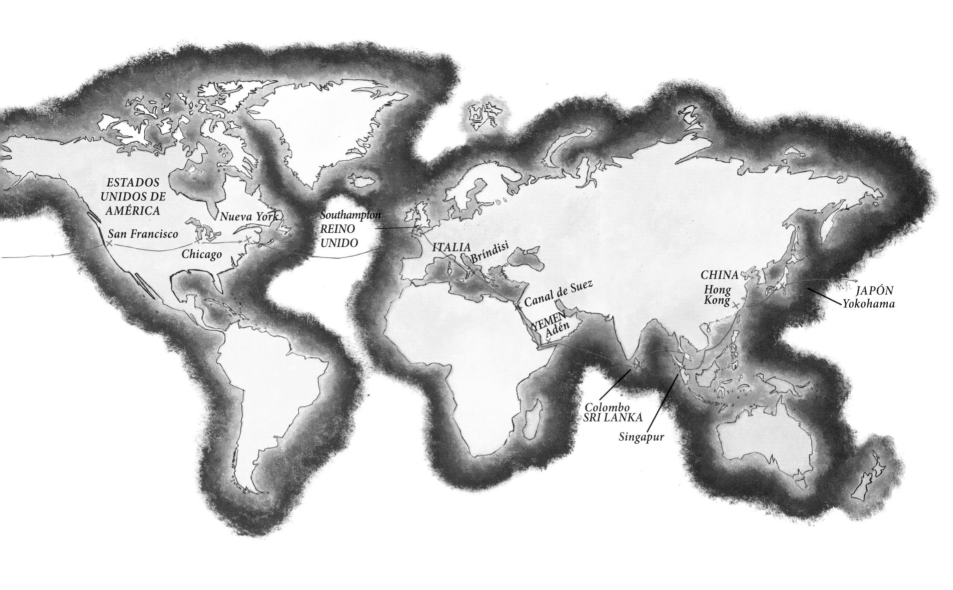

- ESTADOS UNIDOS DE AMÉRICA
- Nueva York
- San Francisco
- Chicago
- Southampton REINO UNIDO
- ITALIA
- Bríndisi
- Canal de Suez
- YEMEN Adén
- CHINA Hong Kong
- JAPÓN Yokohama
- Colombo SRI LANKA
- Singapur

FRANCIS TRAIN

A finales del siglo XIX, dar la vuelta al mundo se convirtió en un anhelo común, y muchos se propusieron alcanzar esa proeza. El estadounidense Francis Train, por ejemplo, lo intentó tres veces, y a la tercera completó la vuelta en tan solo 67 días.

JULIO VERNE

Durante el viaje, Nellie visitó la ciudad francesa de Amiens y se reunió con el escritor Julio Verne, quien, al enterarse de su aventura, quiso conocerla en persona.

" Esa muchacha es realmente testaruda. Le aconsejé mil veces que fuera acompañada, pero no quiso saber nada. Me volvió loco con sus constantes negativas. Insistía en que tenía que ir sola, que lo conseguiría y me demostraría que una mujer es perfectamente capaz de valerse por sí misma en todas las situaciones. Al final me rendí y la dejé ir, porque, como periodista al menos, es más valiente que todos sus colegas varones.

Se marchó hace setenta y un días, dando un portazo. Mañana regresa del viaje, pero ya es un fenómeno mundial. **"**

Joseph Pulitzer

GERTRUDE BELL (1868-1926)

«Despertarse un amanecer en el desierto es como despertarse dentro de un ópalo. La niebla emana de los valles y el rocío se desliza por las negras lonas de las tiendas creando figuras fantasmales, mientras el lánguido esplendor del cielo oriental cede ante los rayos dorados del sol naciente».

Gertrude Bell fue exploradora, escaladora, escritora, cartógrafa y espía. Nacida en el seno de una familia adinerada, fue la primera mujer en graduarse en la UNIVERSIDAD DE OXFORD con un título en Historia. En 1892 emprendió su primer viaje rumbo a Teherán, en Persia (actual Irán), con el propósito de visitar a su tío embajador. Esta experiencia le proporcionó la fuente de inspiración para escribir su primer libro, *Imágenes de Persia*. A partir de aquel momento, nunca dejó de escribir sobre sus aventuras.

Durante los años siguientes recorrió el mundo, se aficionó a la ARQUEOLOGÍA y estudió varios idiomas; llegó a dominar el francés, el alemán, el italiano, el árabe y el persa. En 1900, en la península arábiga, descubrió no obstante su verdadera pasión: EL DESIERTO. La fascinación por ese paisaje la acompañaría durante el resto de su vida. De hecho, a partir de entonces, se dedicó a explorar la Arabia otomana y estableció importantes contactos con jeques, ulemas y jefes tribales. Los hombres de aquellas tierras la apodaron Al Jatún, «la Señora», ya que, en sus incesantes viajes, nunca renunció a la comodidad y a la elegancia.

En Mesopotamia, conoció al arqueólogo Thomas Edward Lawrence, con quien exploró enormes extensiones del desierto en busca de ruinas de ciudades sepultadas bajo la arena. En muchos casos, Gertrude fue la primera occidental que se ocupó de cartografiar aquellos valiosos emplazamientos.

Durante la Primera Guerra Mundial, el gobierno británico la reclutó como agente secreta en la campaña de Mesopotamia, una zona donde los británicos controlaban importantes yacimientos de petróleo que deseaban defender del Imperio otomano. Dada su destreza para reunir información, a Gertrude le asignaron la tarea de identificar a las tribus árabes dispuestas a apoyar los intereses ingleses. Sus contactos resultaron indispensables para el verdadero objetivo del Imperio británico: la instauración de un gobierno estable en esos territorios.

Gertrude realizó, además, otras contribuciones de vital importancia. Una vez concluida la guerra colaboró en la empresa de trazar las fronteras del futuro Irak, un territorio que había formado parte hasta entonces del Imperio otomano. También ayudó a controlar el nombramiento de los gobernantes de aquel nuevo Estado.

Tras cumplir todas esas misiones, se dedicó a la arqueología y contribuyó a fundar el MUSEO ARQUEOLÓGICO DE BAGDAD, al cual legó toda su herencia para garantizar el futuro de la institución. Gertrude murió a los cincuenta y ocho años en Irak, donde aún se la recuerda como una de las mujeres más influyentes de su época.

LAWRENCE DE ARABIA

Al igual que Gertrude, Thomas Edward Lawrence, conocido como Lawrence de Arabia, fue un importante agente secreto. Esa fama se debe en parte a la popular película *Lawrence de Arabia* (1962), en la que, curiosamente, no aparece ningún personaje femenino de relevancia.

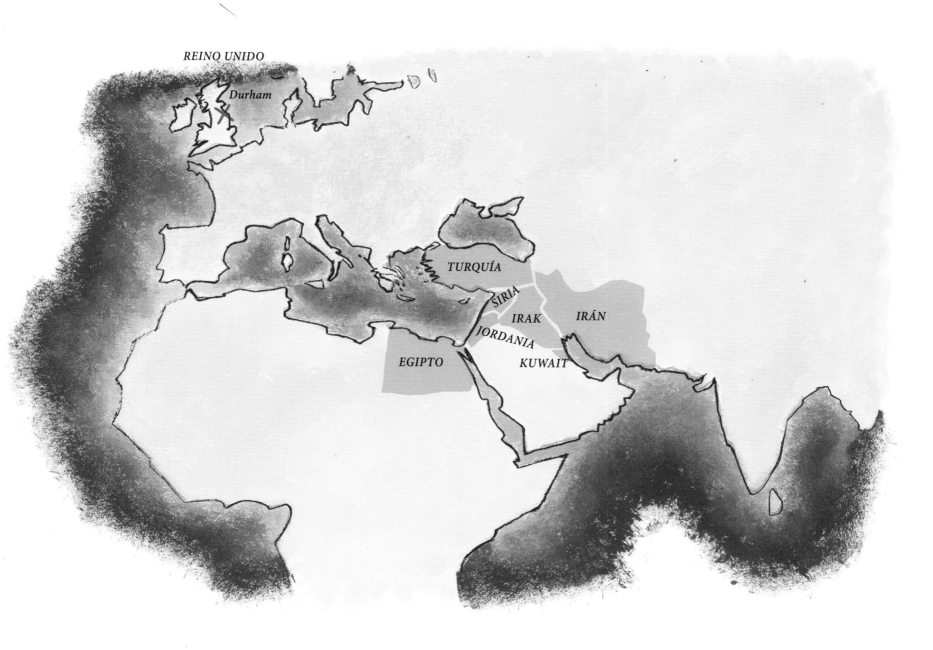

ANTISUFRAGISTA

Gertrude se opuso a ampliar el derecho de voto a las mujeres. Insistía de manera categórica en que ese derecho solo podía adquirirse por medio del trabajo duro y la determinación, no por medio de una ley.

SALVAR EL MUSEO

En 2003, durante la guerra de Irak, el museo fundado por Gertrude fue saqueado e incendiado durante un ataque a Bagdad. Hoy, tras numerosas restauraciones, sus puertas están abiertas.

LA REINA DEL DESIERTO

La extraordinaria vida de Gertrude Bell se ha recogido en numerosos libros y también en la película *La reina del desierto* (2015).

"¿Quién iba a pensar que mi destino lo decidiría una mujer? Tras luchar en varias guerras y perder una batalla importante, me vi obligado a vivir en el exilio en Inglaterra, lejos de mi pueblo. Temía que se olvidaran de mí, pero Gertrude me recordó mi identidad: Soy Faisal ibn Husein ibn Alí, hijo de Husein ibn Alí, jerife de la Meca. Gracias a la Reina del Desierto, soy rey de Irak. La propia Gertrude Bell fue elegida para ayudar a trazar las fronteras de este nuevo Estado. Ningún inglés conoce estas tierras mejor que ella.

Mi trabajo será complicado, porque aquí conviven muchos grupos que compiten entre sí: chiíes, kurdos y suníes. He de restablecer la paz y hacer de Irak un reino para todos, un lugar donde podamos vivir en libertad. Me esforzaré por garantizar el acceso a la educación para todos los jóvenes. Construiré nuevas carreteras, promulgaré nuevas leyes y formaré nuevas alianzas. Será para mí un honor gobernar Irak; he contraído una deuda de gratitud con Gertrude Bell, que posee la elegancia de las personas que realmente pertenecen al desierto. **"**

Faisal I,
primer rey de Irak

ALEXANDRA DAVID-NÉEL (1868-1969)

«¿Quién conoce mejor una flor? ¿Quien habla de ella en un libro
y es capaz de encontrarla en la ladera de una montaña?».

La increíble vida de Alexandra David-Néel parece sacada de una novela. A los dieciocho años, empujada por el espíritu rebelde que la había caracterizado desde la infancia, abandonó su casa de Bruselas (Bélgica) para recorrer Europa en bicicleta y llegar hasta España.

A los veinte años vivía entre Londres y París, ciudades en las que desarrolló un profundo amor por la CULTURA ORIENTAL. Se interesó, en especial, por el BUDISMO TIBETANO, estudió sánscrito y empezó a soñar con visitar Oriente. La oportunidad de hacerlo se le presentó en 1890, cuando, gracias al dinero que le dejó en herencia su abuela, Alexandra pudo viajar a la India. Allí residió un año durante el cual perfeccionó sus conocimientos de hinduismo y budismo.

De regreso a París, tuvo que buscar una forma de ganarse la vida. Se le ocurrió poner en práctica uno de sus talentos ocultos: el CANTO. No tardó en convertirse en una famosa cantante de ópera y empezar a hacer giras por todo el mundo. La carrera musical que había emprendido la llevó finalmente a Túnez, donde, en 1904, se casó con el ingeniero ferroviario Philippe Néel. Sin embargo, la vida conyugal no era lo suyo. Al cabo de unos años sintió la imperiosa necesidad de regresar a Oriente, y en 1911, se marchó con la promesa de un pronto regreso. Lo que entonces no sabía era que tardaría casi catorce años en volver.

En la India conoció a APHUR YONGDEN, un jovencísimo monje tibetano que fue su guía y con quien adoptó un hijo en 1929. Juntos recorrieron la India y China, viajaron a Japón y planearon su aventura más famosa: una visita a Lhasa, la CIUDAD SAGRADA DEL TÍBET que estaba prohibida a los occidentales. Se trataba de un viaje de lo más peligroso.

Disfrazada de peregrina tibetana, Alexandra partió de Mongolia junto con Aphur. Durante tres años, anduvieron por carreteras intransitables y poco frecuentadas para evitar que los reconocieran. A menudo se arriesgaron a morir de frío e inanición, o a que un animal salvaje acabara con sus vidas. Con todo, lograron la hazaña y, en febrero de 1924, Alexandra se convirtió en la primera europea que había pisado la ciudad sagrada de Lhasa.

En 1925, regresó a Francia y se dedicó a escribir libros sobre sus experiencias en Oriente. Con ello contribuyó en gran medida a la difusión del budismo en Occidente. Tras realizar otro viaje a China, Alexandra se estableció con Aphur en la ciudad de Digne (Francia), donde murió a la edad de ciento un años.

UNA CARRERA ECLESIÁSTICA FRUSTRADA

Cuando nació Alexandra, su madre, una ferviente católica, se lamentó de no haber dado a luz a un hijo que podría haber seguido la carrera eclesiástica.

TEXTOS BUDISTAS

Alexandra escribió más de una treintena de libros sobre el budismo. Sus obras se consideran hoy una valiosa fuente para profundizar en esa religión.

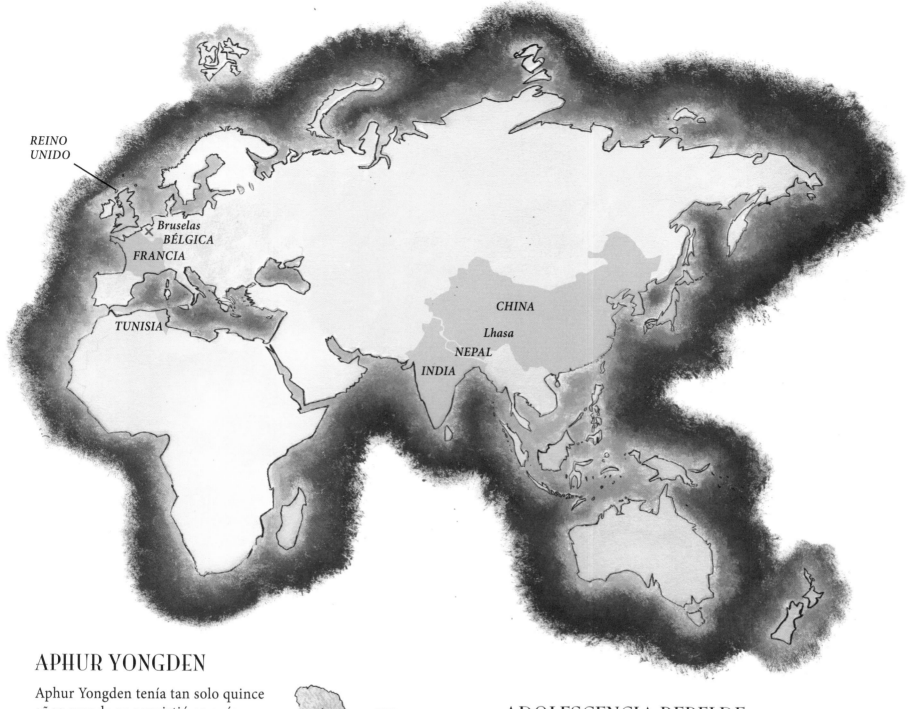

REINO UNIDO

Bruselas
BÉLGICA
FRANCIA

TUNISIA

CHINA
Lhasa
NEPAL
INDIA

APHUR YONGDEN

Aphur Yongden tenía tan solo quince años cuando se convirtió en guía y compañero de Alexandra. Además de introducirla en ambientes y culturas que de otro modo habrían sido inaccesibles para ella, siempre le brindó apoyo emocional y espiritual.

ADOLESCENCIA REBELDE

De pequeña, Alexandra no toleraba las estrictas normas familiares y solía escaparse en busca de aventuras. Cuando era adolescente recorrió los Países Bajos, Inglaterra, Francia, Italia y España, aunque a menudo las escapadas terminaban con una carta en la que pedía a sus padres que la ayudaran a regresar.

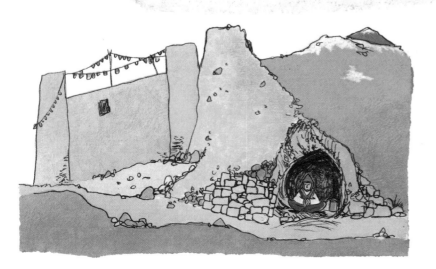

LA CUEVA DE LA SABIDURÍA

Entre 1914 y 1916, Alexandra vivió en una cueva próxima a un monasterio budista situada a unos 4000 metros sobre el nivel del mar. Allí, practicó unos ejercicios espirituales que le valieron el apodo religioso de 'Lámpara de la Sabiduría'.

"Cuando la vi marcharse a India, supe que no regresaría. Me hubiera gustado que nuestro matrimonio le diera sosiego y la persuadiera a dejar de lado sus anhelos de viajar. Tenía la esperanza de que me permitiría pasar toda la vida a su lado. Algunas cosas son pasajeras, le dije. Pero el pasajero fui yo. Esa necesidad de estar en constante movimiento, de viajar, siempre formó parte de ella. Lo mismo ocurre con su fuerte personalidad, que también adoro. No está bien obligar a las personas a llevar

una vida que no quieren, por eso la dejé ir. Cuando quieres a alguien, debes respetar sus decisiones y sus deseos, por mucho que te duela. Tiempo después, cuando volvimos a vernos, los dos habíamos cambiado mucho, pero, por debajo de las arrugas y las canas, aún pude ver esa llama ardiendo en su interior. "

Philippe Néel

ANNIE "LONDONDERRY" KOPCHOVSKY (1870-1947)

«Soy una mujer "nueva" y eso quiere decir que soy capaz de hacer todo lo que pueda hacer un hombre».

En 1894, una joven estadounidense llamada Annie aceptó el insólito reto que le habían propuesto dos hombres ricos: RECORRER EL MUNDO EN BICICLETA. Durante el viaje debía recaudar una cantidad mínima de 5000 dólares, y, si lo conseguía, a su regreso percibiría 10000 dólares más.

Annie era madre de tres hijos, y hasta aquel día, ella y su marido se habían ganado la vida contratando PUBLICIDAD en diversos periódicos. Como era habitual entre las mujeres de la época, Annie no sabía ir en bicicleta. De hecho, la bicicleta se consideraba un medio de transporte peligroso para la frágil constitución femenina. Con todo, Annie aprendió enseguida a manejarla.

El 27 de junio de 1894 por la mañana partió desde Boston, su ciudad natal, rumbo a la aventura.

La experiencia comercial que tenía le permitió sacar partido de su popularidad, que crecía a pasos agigantados cada vez que llegaba a una nueva ciudad. A lo largo del trayecto, convenció a varias empresas para que la patrocinaran a cambio de promocionar diferentes MARCAS de bicicleta y de ropa. Annie sacó partido hasta del apellido, pues mientras duró el viaje aceptó cambiarlo por el nombre de una compañía de agua embotellada. Con esa táctica, consiguió su primer gran cheque de 100 dólares de la empresa Londonderry Spring Water.

Mientras recorría el mundo en bicicleta, concedió varias entrevistas y dio charlas sobre sus aventuras como ciclista. A veces exageraba un poco, pero eso la ayudaba a conseguir más publicidad. Al cabo de quince meses, regresó a Boston y cobró la apuesta. A raíz de su gran viaje, la bicicleta se convirtió en un símbolo de la independencia y autonomía femeninas.

NOCHES TENEBROSAS

Para recorrer el mundo en bicicleta, no basta con ser valiente: también hay que ser precavido e inteligente. Algunas veces Annie pasaba la noche en antiguos cementerios, pues la tranquilidad de esos lugares le daba seguridad.

LONDONDERRY HOY

Hoy en día es común que los atletas lleven prendas con la marca de sus patrocinadores. En este aspecto, Annie puede considerarse una pionera.

MUJERES CON PANTALONES

Annie inició el viaje con una bicicleta de mujer y prendas femeninas; sin embargo, al cabo de unos kilómetros, las cambió por una bicicleta y ropa de hombre, mucho más adecuadas. Su popularidad impulsó a muchas mujeres a imitarla y usar ropa similar.

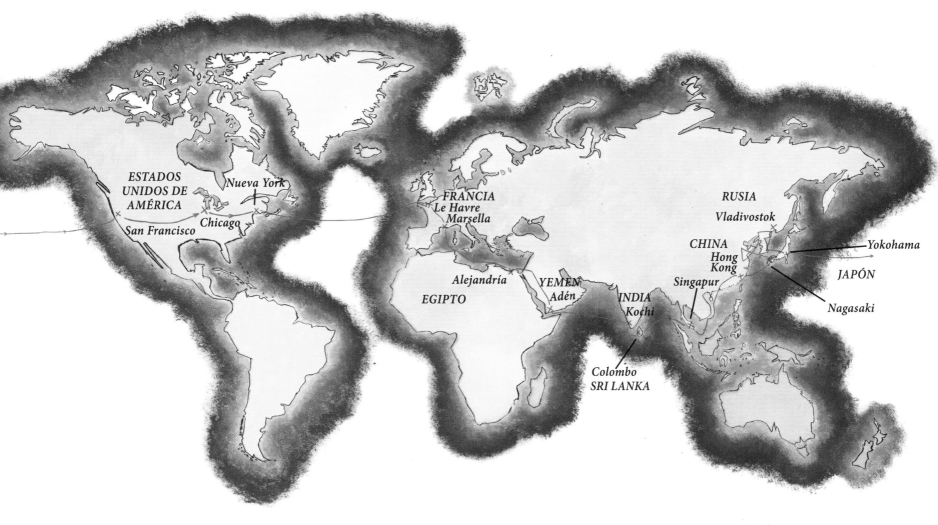

LA BICICLETA DE ANNIE

La bicicleta con la que Annie partió de Boston pesaba
20 kilos; pero, como hemos visto, enseguida la remplazó
por otra blanca y dorada, bastante más ligera, de la marca
American Sterling. En el cuadro colocó la publicidad de
los patrocinadores, algunos regalos de sus seguidores
y la bandera de su país, los Estados Unidos.

ACCIDENTES DURANTE EL VIAJE

Un viaje tan extraordinario como el
de Annie comporta muchos riesgos.
Una vez, mientras recorría los Estados
Unidos, casi la atropella un coche de
caballos desbocados. En otra ocasión,
chocó contra una manada de cerdos y
se rompió la muñeca. En Francia, llegó
a la ciudad de Marsella pedaleando
con un solo pie porque, según dijo,
se había roto el otro huyendo
de unos bandidos. También
contaba que en China la
habían hecho prisionera
de guerra.

Siempre que paso por una ciudad nueva, tengo que detenerme porque miles de personas se amontonan a mi alrededor para que les cuente mis aventuras. Lo hago con mucho gusto, aunque, en realidad, el viaje está resultando bastante tranquilo.

Es verdad que lo mío no es precisamente un paseo y, algunas veces, me entran ganas de dejarlo todo y volver a casa, como me ocurrió aquel día en el desierto cuando se me pinchó una rueda y tuve que caminar varios kilómetros con la bicicleta al hombro. Sin embargo, me he dado cuenta de que no basta con decir "he dado la vuelta al mundo en bicicleta". A la gente le encantan las historias conmovedoras y, a decir verdad, yo disfruto inventándolas. Algunas de las que he inventado han tenido gran éxito, como aquella sobre la cacería de tigres con el marajá, o aquella otra según la cual pasé días escupiendo sangre por un trágico accidente del que tuve que recuperarme sola en el camino. Anécdotas así son las que convierten la historia en leyenda. **"**

Annie "Londonderry" Kopchovsky

HARRIET CHALMERS ADAMS

(1875-1937)

«Una confidente de los primitivos cazadores de cabezas que nunca dejó de vagar por los rincones más remotos del mundo». Washington Post

A diferencia de otras exploradoras que fueron también grandes escritoras, Harriet Chalmers Adams nunca publicó un libro. En su caso, la celebridad le llegó con los artículos que escribió para la revista NATIONAL GEOGRAPHIC.

Harriet era una maestra estadounidense que descubrió su pasión por la exploración en 1899 durante un viaje a México. La experiencia le gustó tanto que, poco después, emprendió con su esposo Franklin un viaje de casi tres años por Sudamérica. Juntos, recorrieron más de 65 000 kilómetros a caballo; y Harriet se convirtió en la primera mujer occidental que entró en contacto con muchas tribus indígenas sudamericanas.

Documentó su larga expedición con lápiz, papel y una cámara. Tomó más de tres mil fotografías, y luego las presentó al director de la revista *National Geographic*, Gilbert Grosvenor. Con ese material, en 1907, la revista publicó el primer REPORTAJE de Harriet. El trabajo tuvo tan buena acogida, que pasó a formar parte del selecto grupo de colaboradores de la revista.

Además de ser una excelente escritora cuyas descripciones cautivaban a los lectores, Harriet era una GRAN ORADORA. El público, atraído por su temperamento y su atención a los detalles, acudía en masa a las conferencias. Sobre sus dotes de oradora, *The New York Times* escribió que «como conferenciante, nadie ejerce mayor magnetismo que ella sobre el público».

Harriet realizó docenas de viajes por el mundo y demostró una increíble valentía. En el transcurso de su vida, recorrió más de 160 000 kilómetros, es decir, cuatro veces el perímetro de la Tierra. Además, escribió más de una veintena de reportajes para *National Geographic*, hizo miles de fotografías y filmó varias películas de gran valor histórico.

En 1925, su pasión por los viajes la llevó a inscribirse en la fundación de la SOCIEDAD DE MUJERES GEÓGRAFAS, una prestigiosa asociación internacional dedicada a apoyar el papel de la mujer en tareas de investigación y exploración, de la cual también formaron parte Annie Smith Peck y Amelia Earhart.

EXPLORADORA POR HERENCIA

Harriet heredó la pasión por la aventura de su padre, que se había marchado de Escocia para hacer fortuna en Estados Unidos. Cuando ella tenía catorce años, Harriet y su padre exploraron a caballo el salvaje territorio estadounidense desde Oregón hasta Nuevo México.

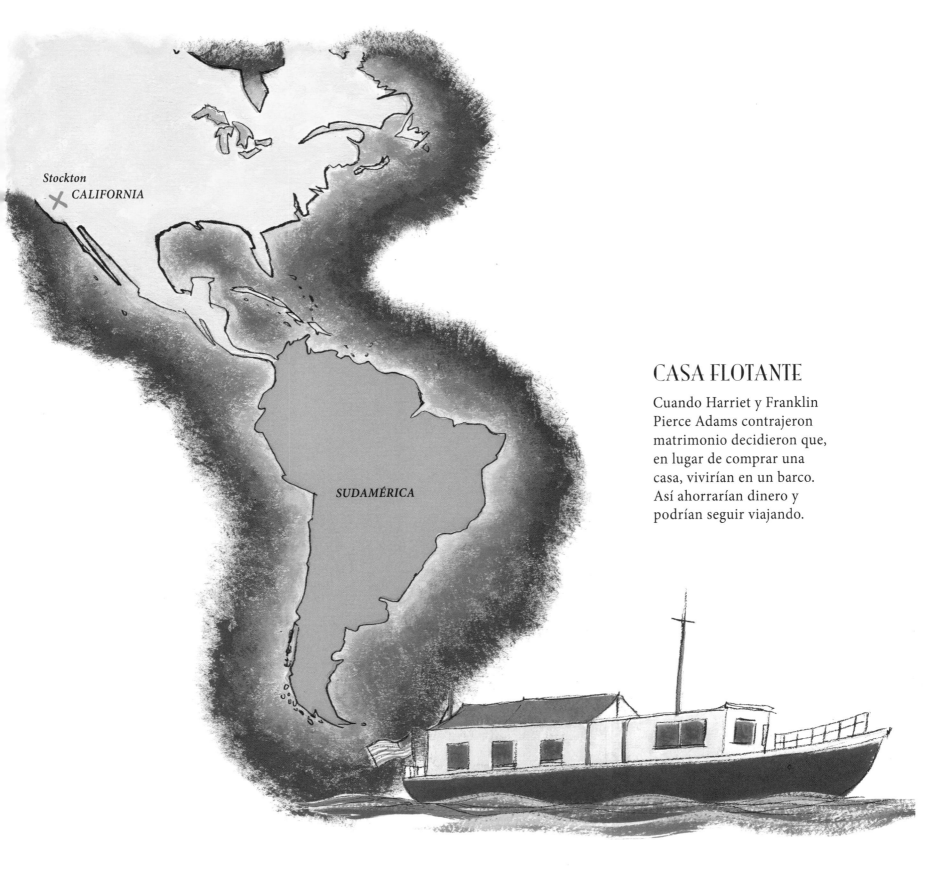

Stockton
CALIFORNIA

SUDAMÉRICA

CASA FLOTANTE

Cuando Harriet y Franklin Pierce Adams contrajeron matrimonio decidieron que, en lugar de comprar una casa, vivirían en un barco. Así ahorrarían dinero y podrían seguir viajando.

UNA PERIODISTA VALIENTE

En sus viajes de exploración, Harriet se desplazaba a menudo de un continente a otro. Recorrió los Andes, el Amazonas, Haití, Turquía y Siberia. En Francia, durante la Segunda Guerra Mundial, fue la única corresponsal estadounidense autorizada en las trincheras. Sus fotografías retratan con crudo realismo los horrores de la guerra.

¿De dónde ha salido? A veces la miro y me hago esa pregunta. Quizá sea realmente un regalo del cielo. Me quiere tanto como a sus aventuras, e incluso desea compartir su vida conmigo. Yo me dejo llevar. En nuestros viajes, es ella quien toma las decisiones y determina el camino que debemos seguir en cada bifurcación. Yo la apoyo, le hago sugerencias y, aunque no estemos de acuerdo, confío plenamente en Harriet. Participo en la vida que ella habría llevado de todos modos, conmigo o sin mí. Vivimos en medio de las montañas o en recónditos pueblos y nuestra vida dista mucho de la normalidad, pero nos queremos, y eso nos basta para sentirnos en casa.

Franklin Pierce Adams

ISABELLE EBERHARDT (1877-1904)

«Siempre seré una nómada enamorada de lugares remotos e inexplorados».

Las pocas fotografías que se conservan de la escritora y aventurera Isabelle Eberhardt muestran siempre a una joven disfrazada de hombre.

Isabelle comenzó a escribir en su casa de Ginebra (Suiza) cuando era todavía una adolescente. Le encantaba narrar historias ambientadas en el norte de África, a pesar de que nunca había estado allí. Todo lo que sabía sobre la región africana del Magreb lo había aprendido de las cartas que le enviaban Eugène Letord, un oficial francés destinado en el Sáhara con el que había entablado amistad por correspondencia, y su querido hermano Augustin, que se había alistado en la Legión Extranjera en Argelia.

Tras publicar algunos de sus primeros textos, Isabelle partió rumbo a ARGELIA con la intención de reunirse con su hermano. Después de pasar por un sinfín de aventuras, se estableció en un barrio obrero de la ciudad de Bona (actual Annaba), y allí aceptó sin reservas las prácticas y las costumbres del pueblo argelino.

Se convirtió al ISLAM, pero como la vida de las mujeres musulmanas comportaba algunas restricciones, decidió disfrazarse de hombre para gozar de mayor libertad. Cambió así su nombre por el de MAHMUD SAADI. Con esta nueva identidad viajó por África durante varios años y, cada cierto tiempo, regresaba a Ginebra y Francia.

En aquella época, los colonizadores franceses y británicos imponían la cultura europea a las poblaciones locales. Isabelle siempre se opuso a esa conducta y, a diferencia de sus compañeros europeos, asimiló a la perfección las costumbres y las tradiciones de los países en los que vivió. De hecho, se integró tan bien en aquellas sociedades que, aunque en más de una ocasión descubrieron que ocultaba su verdadera identidad y su sexo, los argelinos nunca la rechazaron.

En sus RELATOS y NOVELAS, Isabelle criticó la política colonial. Ese hecho, sumado a los numerosos vínculos que mantenía con importantes figuras del mundo árabe, despertó sospechas entre los colonizadores franceses, que incluso llegaron a creer que era una espía.

Se casó con un soldado argelino y lo siguió a caballo a todos sus destinos militares. Así, recorrió como nómada los desiertos de Argelia, Marruecos y Túnez. Un día, un hombre intentó asesinarla con un sable y a punto estuvo de cortarle un brazo. Isabelle sobrevivió al ataque, pero poco después, a los veintisiete años, murió a causa de un trágico accidente.

Después de su muerte, sus libros, favorables a la descolonización del norte de África, alcanzaron una popularidad aún mayor.

UNA LECTORA VORAZ

Desde muy temprana edad, Isabelle tuvo a su disposición la rica biblioteca de su padre. Leía novelas, ensayos, poemas y biografías, y aprendió rápidamente alemán, italiano, inglés y árabe.

UNA VIDA ESPECTACULAR

La romántica vida de Isabelle ha inspirado varios libros, una película y también una ópera de Missy Mazzoli titulada *Canción desde el alboroto: las vidas y muertes de Isabelle Eberhardt* (2012).

FRANCIA

Ginebra
SUIZA

MARRUECOS

TÚNEZ

ARGELIA

UNA TRAGEDIA IMPREVISTA

Aunque parezca increíble, Isabelle murió ahogada
en medio del desierto. Ella y su marido Ehnni
habían alquilado una pequeña casa hecha de adobe
en Aïn Séfra (Argelia). Un día, una imprevista
riada arrasó varias de las viviendas del pueblo,
entre ellas la de Isabelle.

LAS CALLES DE ISABELLE

Dos calles argelinas llevan el
nombre de Isabelle, una en Argel
y otra en Béchar. Quizá de manera
simbólica, ambas conducen del
centro de la ciudad al desierto.

FREYA STARK (1893-1993)

«La más grande de todas las maravillas del mundo es sin duda el horizonte».

En una época en la que se consideraba imposible que las mujeres desempeñaran otros papeles que el de ser madre, esposa o hija, la decisión de emprender un viaje en solitario a tierras remotas solía provocar sorpresa. No obstante, también resultaba una decisión liberadora. No es de extrañar que muchas mujeres con problemas crónicos de salud mejoraran como por arte de magia al salir de su entorno habitual. De repente se daban cuenta de que podían pensar con claridad y su nivel de estrés disminuía, como si los viajes por sí solos fueran potentes medicinas.

Ese fue el caso de Freya Stark, quien, a pesar de su delicada salud, destacó como una de las principales viajeras del siglo XX. En muchos aspectos, representa mejor que nadie el concepto de «VIAJERA MODERNA» propio de la época, ya que carecía de segundas intenciones: no era periodista, ni arqueóloga, ni diplomática. No viajaba por trabajo, sino por placer.

Se desplazaba de un lugar a otro movida por la curiosidad, y su única meta era el conocimiento. No se guiaba por medio de mapas, sino por la información que reunía en los lugares que visitaba. Muy a menudo la gente la invitaba a su casa, y ella se adaptaba de buen grado a las costumbres y tradiciones más variopintas, aun cuando difirieran radicalmente de las suyas. Se interesó tanto por las personas como por los lugares, y se relacionó con ambos con la misma empatía. Su modo de viajar la convirtió en una MAESTRA DE IDIOMAS. A lo largo de su vida, nunca dejó de estudiarlos, ni de esforzarse por captar sus matices.

Freya se había sentido fascinada por el ORIENTE PRÓXIMO desde pequeña. No tenía estudios académicos, pero leía cuanto caía en sus manos sobre la región e incluso comenzó a estudiar árabe con el propósito de perfeccionarlo algún día en las zonas donde se hablaba. Cumplió ese sueño en 1927, cuando emprendió un primer viaje a Beirut (Líbano).

Posteriormente recorrió Siria, Irak, Irán, Arabia y Afganistán. Exploró muchas regiones remotas, como el legendario Valle de los Asesinos, en Irán, del cual trazó un mapa detallado. Además, fue la primera occidental en cruzar el desierto de la península arábiga.

Narró sus aventuras en más de una treintena de libros y reinventó con sus aportaciones el género de la LITERATURA DE VIAJES.

Pese a haber nacido en Francia en el seno de una familia inglesa, pasó gran parte de su vida en Asolo (Italia), donde se jubiló a los ochenta y ocho años de edad y murió a los cien. La comunidad de Asolo aún la recuerda con afecto.

UN TERRIBLE ACCIDENTE

A los trece años, Freya sufrió un grave accidente en la fábrica de alfombras de su madre. Su larga melena quedó atrapada en el rodillo de una máquina y sufrió daños en el cuero cabelludo y en el oído y el párpado del lado derecho. El accidente le dejó una larga cicatriz que siempre intentó cubrir con pelucas y sombreros.

DESAFORTUNADA EN EL AMOR

Freya no tuvo suerte en el amor. En 1915 iba a casarse con un médico que había conocido en Bolonia, pero él la dejó poco antes de la boda. Más adelante, cuando tenía 54 años, se casó con un diplomático inglés, pero su matrimonio duró poco tiempo.

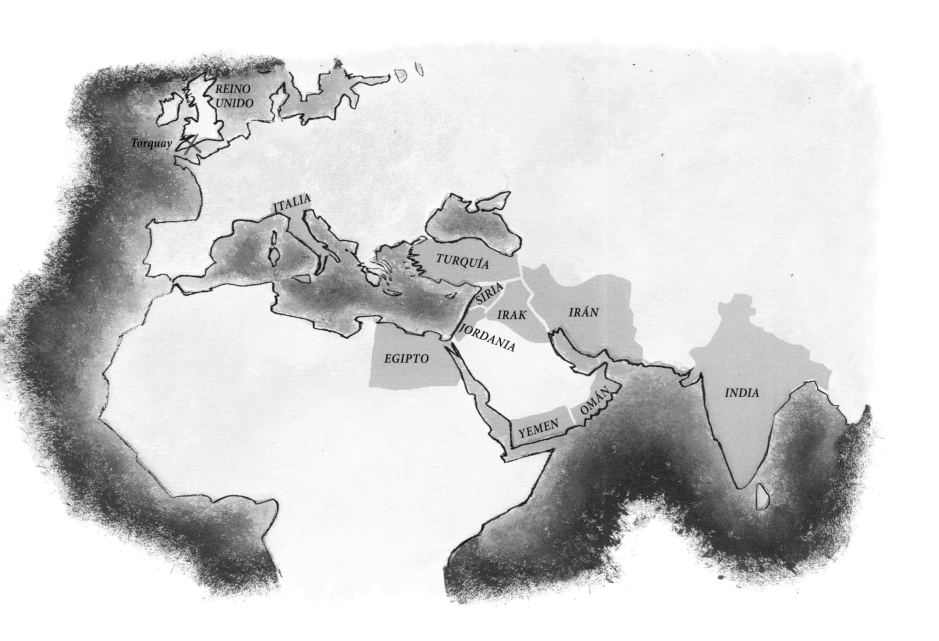

UNA VOLUNTAD DE HIERRO

En uno de sus viajes, Freya contrajo la malaria, pero ni siquiera esa enfermedad la detuvo. De hecho, una de sus mayores cualidades como viajera era la determinación, que al parecer le había inculcado su padre con extraños ejercicios. De pequeña, la obligaba a recorrer de noche una oscura avenida flanqueada por árboles sin volverse hacia él. Si lo conseguía, recibía una moneda como premio.

LAS MIL Y UNA NOCHES

A los nueve años, Freya leyó un libro que le cambió la vida, *Las mil y una noches*. El asombro que esos cuentos le causaron perduró en su corazón y la impulsó a explorar el Oriente Próximo.

Esta mujer me sorprende. Hemos pasado días enteros caminando. Hemos vadeado ríos, cruzado montañas de granito, viajado por valles desolados en los que sopla el helado viento del desierto, hemos vagado por caminos de tierra y puentes de piedra... y en su mirada no hay signo alguno de fatiga.

En su rostro, veo el júbilo de quien contempla el paraíso. De día, mientras viajamos, toma notas en su diario. De noche, frente al fuego, me hace mil preguntas mientras señala un mapa que ella misma ha dibujado. Me pregunta si creo que representa bien la realidad. Está trazando un mapa detallado de este valle. Dice que no existen mapas de estos lugares y cree que esta podría ser la primera investigación topográfica. Su salud es a menudo delicada, pero su espíritu está lleno de energía. Hoy, ante la fortaleza de Alamut, he visto una lágrima en su rostro. Parecía extasiada ante la vista de ese enigmático lugar, donde, según dicen, vivía el Viejo de la Montaña, una carismática figura que dirigía un misterioso ejército de asesinos.

Luego, bebe un sorbo de té y me dice:
"Próxima parada: Tajt-e Sulaiman, el Trono de
Salomón. Debería estar al otro lado de esas montañas".
Sonrío mientras sostengo la taza caliente entre las manos.
Nadie ni nada podrán detenerla jamás. 99

Guía local nómada

OSA JOHNSON (1894-1953)

«Las dificultades inesperadas son el reto y al mismo tiempo el atractivo de la vida de todo explorador».

¿Cómo veríamos la historia hoy si los exploradores de las épocas pasadas hubieran tenido cámaras de vídeo? Sin duda podríamos contemplar espectáculos magníficos e inauditos. Osa Johnson fue una de las primeras exploradoras que filmó sus aventuras y quiso poner las imágenes a disposición del público, en especial de las personas que no podían viajar.

Junto con su marido, MARTIN JOHNSON, puede considerarse una pionera del CINE DOCUMENTAL. La pareja se conoció en un teatro de Kansas, donde Osa trabajaba como cantante. En aquel momento, Martin era un conocido aventurero que se encontraba de gira en Estados Unidos para exponer las fotografías que había tomado durante un viaje por el Pacífico junto al escritor Jack London. Osa y Martin se enamoraron al instante. Se casaron muy poco tiempo después, en 1910, y empezaron juntos una vida de aventuras.

Ambos compartían la afición por los viajes y saltaron a la fama por sus hazañas, que siempre documentaban con películas.

Visitaron las islas del PACÍFICO SUR, donde mantuvieron peligrosos encuentros con una tribu de caníbales. Posteriormente viajaron a las selvas de BORNEO y ÁFRICA, en las que filmaron la mayor parte de sus documentales. Al verlos, el escritor Ernest Hemingway afirmó: «África ya no puede considerarse una tierra oscura e inhóspita». Sus películas mostraron al gran público un mundo remoto lleno de maravillas, encanto y misterio.

Gracias a sus libros y sus documentales, que se proyectaron en todo el mundo, Osa y Martin figuran entre los aventureros más intrépidos de todos los tiempos.

JACK LONDON

Jack London fue uno de los escritores estadounidenses más importantes de todos los tiempos, famoso por novelas como *Colmillo blanco* y *La llamada de lo salvaje*. Su espíritu aventurero le llevó a explorar las islas del Pacífico en un barco que él mismo había mandado construir (el *Snark*). Durante aquella travesía su esposa Charmian, la única mujer de la tripulación, escribió tres libros maravillosos.

RENDIRSE, JAMÁS

Tras la muerte de su marido Martin en un accidente aéreo, Osa decidió seguir trabajando: escribió libros infantiles, participó en programas de televisión y actuó en una película basada en su último libro *Casada con la aventura*, que había sido el de mayor éxito.

Chanute
KANSAS

ÁFRICA

MALASIA

BORNEO

SUMATRA

ISLAS
SALOMÓN

KING KONG

En la película *King Kong*, el personaje de Ann, la joven a la que el gigantesco gorila secuestra y lleva a la cima del Empire State de Nueva York, está inspirado en Osa Johnson. La película se estrenó en 1933, coincidiendo con el momento álgido de la carrera de la exploradora.

ENCUENTROS PELIGROSOS

En la isla de Malakula, en el océano Pacífico, los Johnson se encontraron con una tribu de antropófagos. Fascinados por el descubrimiento, se dirigieron a la aldea en la que habitaban para filmarlos. Sin embargo, al llegar, los nativos los atacaron y tuvieron que salir corriendo. La pareja regresó más tarde a la isla con las imágenes que habían podido obtener y las mostró a la tribu. Los nativos creyeron que aquello era pura magia y les permitieron seguir filmando.

" Cuando recibí el telegrama, creí que mi patrulla de *boy scouts* me estaba gastando una broma. El telegrama decía que yo, David Martin, había sido seleccionado entre todos los *boy scouts* de los Estados Unidos para participar en un safari por África con Osa y Martin Johnson.

Fui con otros dos chicos, Robert y Douglas. Entonces tenía solo quince años. Cuando por fin llegamos a África después de un viaje larguísimo, me pareció estar en un sueño. Osa y Martin nos recibieron en el campamento y nos pidieron que permaneciéramos alerta y que nunca anduviéramos solos. Aún hoy recuerdo la emoción que sentí al ver cómo un león se abalanzaba sobre una cebra. Aquel rugido nunca ha dejado de resonar en mi pecho.

Nuestras aventuras en África fueron filmadas y se incluyeron en un libro del que nosotros, los *boy scouts*, somos coautores junto con Osa y Martin. Sin embargo, no creo que jamás pueda expresar con palabras hasta qué punto aquellos días en la naturaleza me cambiaron la vida. **"**

David Martin

GRACE MARGUERITE LETHBRIDGE/ LADY HAY DRUMMOND-HAY
(1895-1946)

«Las luces de la ciudad de Nueva York brillaban debajo de nosotros como partículas doradas de polvo de estrellas».

Pese a que no era piloto sino periodista, Grace Marguerite Lethbridge fue la primera mujer que VOLÓ ALREDEDOR DEL MUNDO y la única admitida en el *Graf Zeppelin*, un dirigible alemán que empezó a volar en 1928. Un año después, Grace dio la vuelta al mundo a bordo de aquel mismo artefacto.

Nacida en el seno de una familia de la aristocracia inglesa, Grace Marguerite se había casado joven y había enviudado a los treinta y un años. En vez de disfrutar la herencia de su marido, como era habitual en aquella época, prefirió empezar a ejercer como PERIODISTA. Comenzó escribiendo para un importante periódico británico y, en 1928, participó como corresponsal en el primer vuelo transatlántico del dirigible LZ 127, el *Graf Zeppelin*. Sus artículos sobre la travesía hicieron que el magnate de la prensa estadounidense William Randolph Hearst se fijara en su talento. Hearst le pidió que cubriera el siguiente vuelo alrededor del mundo para uno de sus periódicos, y Grace aceptó la oferta. Aunque hizo el viaje en compañía de otros periodistas, ella era la única mujer a bordo.

El *Graf Zeppelin* partió de la base aeronaval de Nueva Jersey el 7 de agosto de 1929. Hizo escala en Francia, Alemania, la URSS y Japón, y regresó al punto de partida el 29 de agosto. En total, recorrió 33 234 kilómetros en tan solo veintiún días, cinco horas y cincuenta y cuatro minutos, y batió con esta cifra el récord de velocidad en dar la vuelta al mundo.

Los artículos que Grace escribió sobre la travesía del *Graf Zeppelin* fueron todo un éxito. Años más tarde, la intrépida periodista se entregó en cuerpo y alma a su profesión y aceptó encargos cada vez más arriesgados. Viajó como corresponsal a las zonas en guerra de Abisinia (actual Etiopía) y también a la región china de Manchuria.

En 1942, durante la Segunda Guerra Mundial, ella y su colega Karl von Wiegand fueron capturados por los japoneses en las Filipinas y encerrados en un CAMPO DE PRISIONEROS. Grace cayó gravemente enferma a causa de las atroces condiciones de vida que tuvo que soportar. En 1945, fueron liberados y pudieron regresar a los Estados Unidos, aunque Grace no logró recuperarse y falleció poco después. Su funeral contó con la presencia de muchos destacados periodistas que acudieron a despedirse de ella.

GRAF ZEPPELIN

El *Graf Zeppelin* tenía 236 metros de eslora y una capacidad de 105 000 metros cúbicos de gas. Estaba equipado con cinco motores y podía alcanzar una velocidad de 117 kilómetros por hora. Disponía de un salón, una cocina, diez cabinas de pasajeros, una cabina de mando y una sala de comunicaciones.

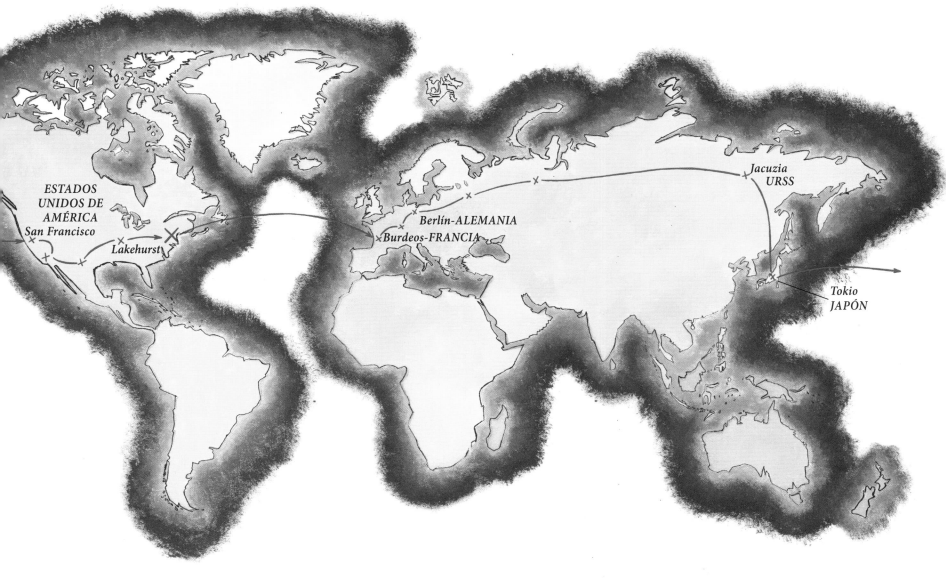

LA CATÁSTROFE DEL *HINDENBURG*

En mayo de 1936 Grace participó en el vuelo inaugural del dirigible alemán LZ 129, el *Hindenburg*, la aeronave más grande construida hasta la fecha. Exactamente un año después, el 6 de mayo de 1937, la nave se incendió y murieron 35 pasajeros. Aquel desastre marcó el final de los vuelos en dirigible.

PADRE E HIJO

William Randolph Hearst, uno de los hombres más ricos del planeta en la época, financió la vuelta al mundo del *Graf Zeppelin*. Había hecho carrera en el periódico de su padre, George Hearst, de quien aprendió virtudes como la paciencia y la determinación. George había obtenido su fortuna trabajando durante años en una mina de Dakota del Sur.

AMELIA EARHART (1897-1937)

«Nunca interrumpas a alguien que está haciendo lo imposible».

La historia a menudo ha dejado en el olvido las hazañas de las mujeres, pero ese no es el caso de Amelia Earhart. Su nombre evoca de inmediato la imagen de una joven piloto, a punto de embarcar en un avión, con la bufanda anudada al cuello. La valentía de Amelia animó a mujeres de todo el mundo a perseguir sus sueños a pesar de que ello supusiera participar en actividades normalmente reservadas a los hombres.

Todo comenzó en 1920, el día en que realizó su primer vuelo como pasajera en un biplano. Desde el instante en el que despegó el avión, todas sus dudas se disiparon y supo que algún día sería piloto.

Trabajó con gran ahínco para pagarse unas clases de vuelo y, al cabo de un año, compró un pequeño avión amarillo al que llamó CANARY. A bordo de aquel artefacto, alcanzó una altitud de 4300 metros y marcó su primer récord mundial. En aquella época, la idea de que una mujer pudiera pilotar un avión causó un gran impacto, y Amelia pronto se hizo famosa.

Se casó con el editor George P. Putman, quien siempre apoyó todas sus iniciativas, incluso cuando se propuso emprender la más arriesgada de las HAZAÑAS: DAR LA VUELTA AL MUNDO EN AVIÓN. El 1 de junio de 1937, Amelia y el copiloto Fred Noonan partieron de Miami (Florida) a bordo del *Electra*.

Lamentablemente, no pudieron cumplir su objetivo. A los 35000 kilómetros de vuelo, cuando faltaban todavía 11000 kilómetros por recorrer, el avión se precipitó en el océano Pacífico y desapareció sin dejar rastro.

Amelia es una leyenda. Gracias a su tenacidad y a su valor pudo cumplir sus sueños en un mundo que ni siquiera era capaz de imaginarlos.

BESSIE COLEMAN

La primera aviadora afroamericana fue Bessie Coleman, una joven de origen humilde que, tras concluir sus estudios en Francia, obtuvo la licencia de piloto en 1921. Con ello demostró al mundo que el sexo y la raza no son, en modo alguno, limitaciones para nada.

ROPA DE VUELO

Cansada de volar con ropa de hombre, Amelia diseñó una línea de prendas femeninas cómodas y prácticas, algunas de ellas confeccionadas con tela de paracaídas.

LA NIÑA AMELIA

De pequeña, a Amelia le encantaba descender en trineo por las colinas nevadas, trepar a los árboles y cazar ratones. Ella y su hermana Grace coleccionaban sapos, gusanos e insectos.

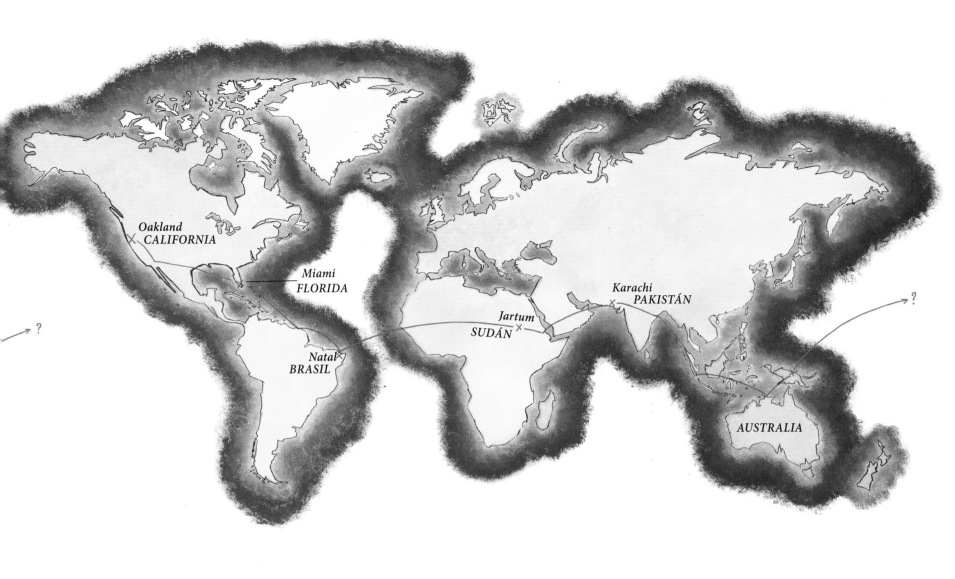

EL PRIMER AVIÓN

La primera vez que Amelia vio un avión fue en la Feria Estatal de Iowa, cuando tenía diez años. No quedó nada impresionada. De hecho, recuerda haber pensado que aquello más bien parecía «un montón de madera y cables oxidados».

He seguido los logros de Amelia desde que batió el primer récord mundial de altura en 1922.

Cuando la conocí, lo que más me llamó la atención fue la mirada. Sus ojos irradiaban un valor y una fortaleza espiritual increíbles, cualidades que rara vez se observan en las personas.

Es un honor para mí que me haya pedido ser el copiloto de su vuelo más importante hasta la fecha. ¡Este viaje pasará a la historia! Por supuesto entraña muchos riesgos, pero Amelia me enseñó que, cuando uno afronta el peligro, se vuelve más fuerte y más capaz. El miedo a los riesgos es una limitación, y para quienes aman volar no pueden existir limitaciones.

Estoy listo para seguir a mi comandante. **"**

Fred Noonan, copiloto

VIVIENNE DE WATTEVILLE (1900-1957)

«Regresaba allí porque estaba hechizada, porque África me había enseñado que solo en aquellas primitivas extensiones de tierra era posible encontrarse a una misma y entender el significado de la palabra "unidad"».

El amor de Vivienne de Watteville por ÁFRICA surgió de un modo verdaderamente inusual. Cuando Vivienne tenía veintitrés años, su padre, Bernhard, un famoso naturalista suizo, recibió el encargo de cazar y recolectar algunos ejemplares de animales exóticos para el MUSEO DE HISTORIA NATURAL DE BERNA (Suiza). Lamentablemente, a principios del siglo XX, esa era la forma habitual en que los museos reunían sus colecciones zoológicas. Así pues, Bernhard partió rumbo a África, y su hija decidió acompañarlo.

Juntos, emprendieron un safari de dieciocho meses por Uganda, Kenia y el Congo. Bernhard logró capturar más de cien animales grandes, pero un día fue atacado por un león. Resultó gravemente herido, y Vivienne, a pesar de que hizo cuanto pudo para salvar a su padre, lo vio morir en sus brazos.

Después de esta terrible tragedia, Vivienne decidió no abandonar el safari y PROSEGUIR CON LA MISIÓN DE SU PADRE hasta encontrar los ejemplares que faltaban para completar la colección. Más tarde, ya en Europa, relató sus experiencias en un libro que tuvo una excelente acogida.

La atracción que sentía por África era muy potente y no acabó allí. En 1928, Vivienne planificó un segundo safari, aunque esta vez con el único propósito de contemplar a los animales en sus hábitats naturales. Viajó hasta la reserva natural Masái Mara, en KENIA, y acampó en una zona de pasto de grandes mamíferos. Durante varios meses, vivió rodeada de elefantes, y más de una vez estuvo a punto de ser arrollada por manadas de rinocerontes. Exploró los territorios del este de África, escaló montañas y descubrió algunas cascadas en el valle del monte Kenia, entre ellas las que, en su honor, fueron bautizadas como las CATARATAS VIVIENNE.

Se preocupó de documentar con fotografías todas las expediciones que realizaba, y, al regresar a Suiza, escribió un segundo libro sobre sus experiencias que obtuvo un gran éxito. Sus obras ofrecen una imagen íntima y personal de África, y abundan en descripciones de paisajes y animales que permiten a los lectores revivir sus aventuras. La literatura de viajes de Vivienne influyó en muchos de los grandes escritores del siglo XX.

AFRONTAR EL PASADO

En su primer libro, Vivienne abordó el tema de la caza de diversos animales. Con motivo de una reedición de la obra, reflexionó sobre los actos pasados y contempló la posibilidad de reescribir o eliminar algunos detalles de caza de los que se sentía avergonzada. En la sociedad de la época había una creciente sensibilidad hacia los animales, y Vivienne no quería dar la impresión de que el asunto le era indiferente. Con todo, al final no modificó el texto original, pues consideró que era importante que los lectores conocieran las prácticas empleadas por los museos para enriquecer sus colecciones.

UNA EXPERTA TAXIDERMISTA

Antes de exhibirse en los museos, los cuerpos de los animales se someten a un proceso de taxidermia necesario para su preservación. Vivienne se ocupó de llevar a cabo esa práctica con los animales que había cazado. Muchos de aquellos ejemplares se exhiben hoy en el Museo de Historia Natural de Berna, en Suiza.

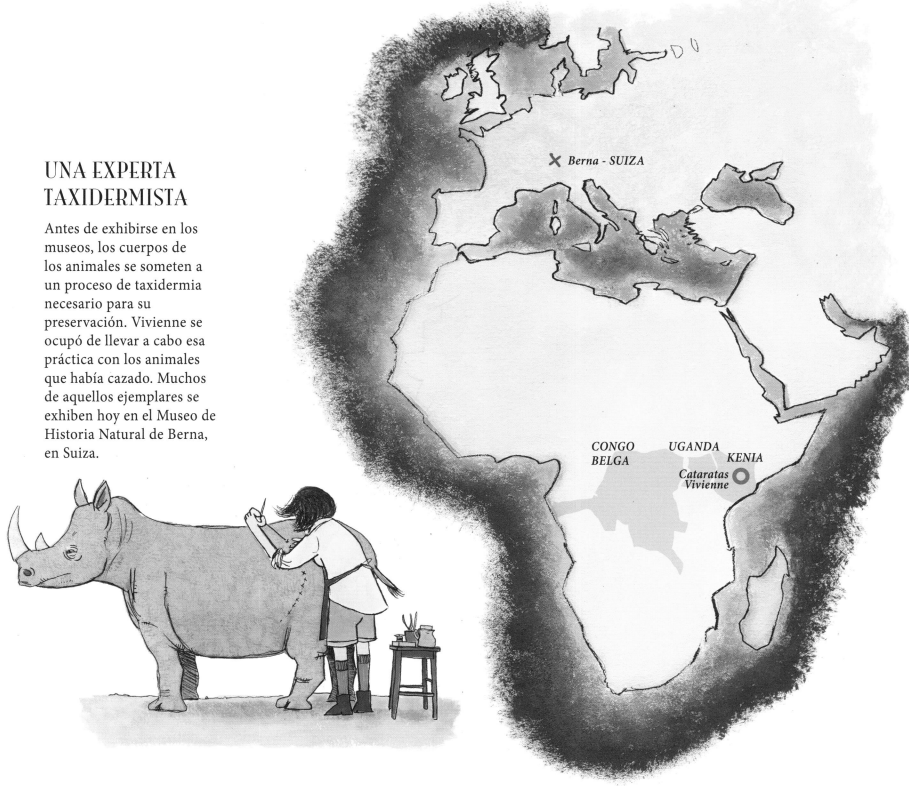

Berna - SUIZA

CONGO BELGA

UGANDA

KENIA

Cataratas Vivienne

¡QUIETO AHÍ!

Durante el safari que Vivienne realizó junto a su padre, era habitual que los felinos invadieran el campamento. Años más tarde, Vivienne contó que una noche, al salir de la tienda, se había encontrado frente a frente con un león. En vez de huir, permaneció inmóvil y, por suerte, el león se marchó.

DOLOR DE MUELAS

En su libro *Hablar con la Tierra: paseos y reflexiones entre elefantes y montañas*, Vivienne cuenta que, una vez, tuvo un terrible dolor de muelas y decidió solucionar el problema de raíz. Sin pensarlo dos veces, se arrancó la muela con unos alicates y un sedal atado a una piedra.

ELLA MAILLART (1903-1997)

«Solo hay un tipo de viaje válido: el que te hace caminar hacia las personas».

Ella Maillart heredó de su madre una gran AFICIÓN POR EL DEPORTE. Fue la atleta más joven que participó en los Juegos Olímpicos de 1924, y aunque no ganó ninguna medalla, esta hazaña la hizo célebre. Fue una excelente regatista y esquiadora, pero no solo esto: a los dieciséis años contribuyó a fundar el primer club de hockey femenino, y a los diecinueve, cruzó el Mediterráneo en un velero.

Su espíritu libre y curioso la llevó a interesarse por la geografía, en especial la del CONTINENTE ASIÁTICO. En 1930, después de trabajar para reunir un poco de dinero, emprendió su primer viaje. Se dirigió a Moscú, en la UNIÓN SOVIÉTICA, donde quedó impactada con la sociedad comunista. No obstante, lo que más le interesó fueron las minorías culturales de Asia. En los años siguientes, llevó a cabo muchas otras expediciones con el objetivo de conocerlas mejor.

Ella a menudo viajaba mal equipada y sin los visados y permisos necesarios, de modo que pasaba frío y hambre o acababa extenuada. No obstante, nunca se rindió. Viajó de Turquestán a China, cruzó el desierto de Taklamakán y entró en contacto con diversas tribus nómadas que la recibieron con los brazos abiertos. Siguió la Ruta de la Seda hacia la India, llegó a Afganistán en automóvil y, por último, se convirtió al BUDISMO.

Sus experiencias quedaron reflejadas en varios LIBROS de gran éxito y documentadas en un sinfín de fotografías y películas. Hoy, ese material posee un gran valor histórico y antropológico, y ha sido expuesto en distintos museos de todo el mundo.

A los ochenta y dos años, Ella culminó su vida aventurera con un gran viaje a Nepal y al Tíbet. Después se trasladó a un pueblo de los Alpes del Valais, en Suiza, su país natal, donde murió a los noventa y cuatro años.

LIGERA DE EQUIPAJE

Ella viajaba con el único objetivo de aprender. Su equipaje contenía lo básico, y ni siquiera llevaba un saco de dormir. Eso sí: nunca olvidaba sus botas preferidas.

UNA VIDA NÓMADA

En los territorios de Asia Central, Ella convivió con los kirguises, un pueblo de ganaderos nómadas que habitaban en yurtas (unas tiendas circulares forradas de alfombras que los protegían de las gélidas temperaturas). De noche, contemplaba el cielo estrellado a través del agujero situado en el centro del techo de la tienda.

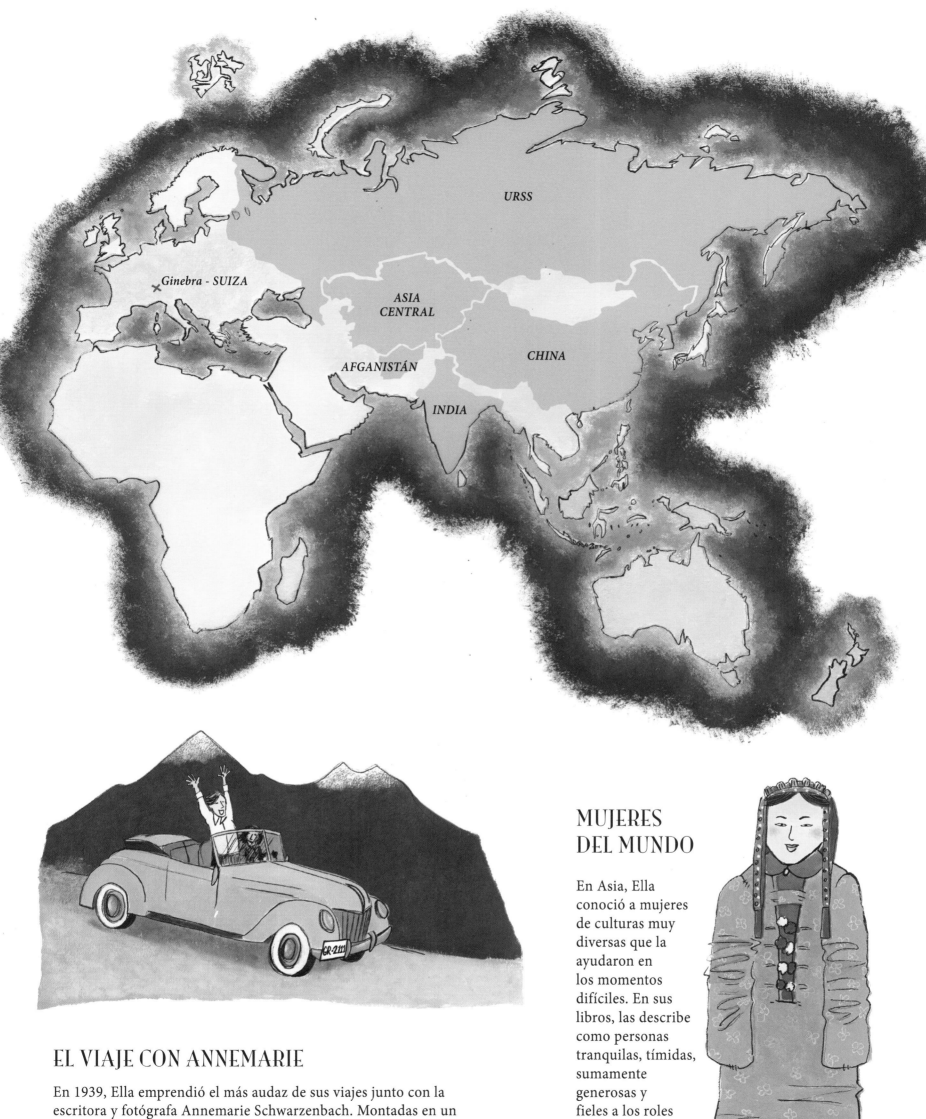

EL VIAJE CON ANNEMARIE

En 1939, Ella emprendió el más audaz de sus viajes junto con la escritora y fotógrafa Annemarie Schwarzenbach. Montadas en un coche Ford, las dos mujeres cruzaron Europa y Oriente Próximo hasta llegar a la ciudad de Kabul, en Afganistán. La experiencia le inspiró uno de sus libros más conocidos: *El camino cruel: de Suiza a Afganistán en un Ford*.

MUJERES DEL MUNDO

En Asia, Ella conoció a mujeres de culturas muy diversas que la ayudaron en los momentos difíciles. En sus libros, las describe como personas tranquilas, tímidas, sumamente generosas y fieles a los roles tradicionales.

VALENTINA TERESHKOVA (1937)

«Desde el espacio, se aprecia lo pequeña y frágil que es la Tierra».

Valentina Tereshkova no solo fue LA PRIMERA MUJER QUE VIAJÓ AL ESPACIO, sino también la primera cosmonauta que orbitó alrededor de la Tierra y la única en llevar a cabo una misión espacial en solitario.

Sin embargo, para labrarse un porvenir en las estrellas, tuvo que esforzarse muchísimo. Nacida en el seno de una familia rusa de origen humilde, Valentina perdió a su padre en la Segunda Guerra Mundial y pasó la juventud trabajando como modista para ayudar a su familia. Pese a las dificultades económicas, siempre conservó una afición que marcaría su destino: el PARACAIDISMO. En 1961, la Unión Soviética envió al primer hombre —Yuri Gagarin— al espacio. Poco después, decidió mandar a una mujer. La cosmonauta idónea para aquella misión debía ser experta en paracaidismo, y Valentina, que siempre había soñado con viajar al espacio, no dudó en ofrecerse voluntaria. Junto con otras cuatro mujeres, participó en un entrenamiento de preparación extenuante, tras el cual fue elegida para desempeñar una MISIÓN ORBITAL TERRESTRE.

El 2 de junio de 1963, Valentina partió rumbo al espacio a bordo de la nave *Vostok 6*. Después de dar varias vueltas alrededor de la Tierra, se dio cuenta de que la nave se alejaba gradualmente de la órbita terrestre y que las coordenadas de reingreso eran incorrectas. Dado que la *Vostok* carecía de controles manuales, Valentina quedó en las manos del CENTRO DE CONTROL RUSO, el cual, tras vencer enormes dificultades, finalmente logró corregir la trayectoria de la nave.

Con asombrosa valentía, permaneció setenta horas y cincuenta minutos en el espacio (casi tres días) y ORBITÓ EL PLANETA 48 VECES. La misión concluyó el 19 de junio de 1963, cuando Valentina pudo saltar de la nave espacial en el último momento y aterrizó con paracaídas en Kazajistán.

Al regresar a la Unión Soviética, fue reconocida como HEROÍNA NACIONAL y recibió numerosas distinciones militares y civiles.

CAMBIAR LA HISTORIA

Valentina no reveló los detalles de su viaje espacial hasta el año 2007. A causa de algunos problemas surgidos durante el vuelo, tuvo que permanecer sentada con el cinturón de seguridad abrochado durante más tiempo del previsto, lo cual le provocó vómitos y dolores en las piernas y el cuello. Además, el aterrizaje en paracaídas fue traumático y terminó con una grave lesión en la nariz. Las autoridades no quisieron mostrarla en aquel estado, de modo que, cuando se recuperó, volvieron a filmar el aterrizaje para que la historia concluyera con un final feliz.

Moscú
URSS

Cosmódromo
de Baikonur

¡HASTA PRONTO!

El día que emprendió
la misión, Valentina
explicó a su familia que
iba a una competición
de paracaidismo. Sus
parientes tuvieron noticia
del viaje espacial por la
radio.

BODA ESPACIAL

Pocos meses después de viajar
al espacio, Valentina se casó
con un compañero cosmonauta.
Se dice que el matrimonio
fue concertado por el Partido
Comunista de la Unión
Soviética con el propósito de
averiguar cómo serían los hijos
de los viajeros espaciales.

UNA GAVIOTA EN EL ESPACIO

Para comunicarse con el
centro de control en la Tierra,
Valentina eligió la palabra rusa
Chaika, «gaviota». En honor a la
cosmonauta, un fabricante ruso
asignó este mismo nombre a un
modelo de cámara fotográfica
muy exitoso.

"Ningún hombre o mujer que haya viajado al espacio puede decir otra cosa: nuestro planeta es maravilloso. Lo veo desde aquí arriba y su belleza me deslumbra. Lo quiero del mismo modo que una madre quiere a su hijo. Siento que debo protegerlo. Percibo su fragilidad y me conmuevo porque al sobrevolar sus océanos, montañas, desiertos e inmensos bosques sé que, como ser humano, soy responsable de preservar toda esa belleza. "

Valentina Tereshkova

JUNKO TABEI (1939-2016)

«No entiendo por qué los hombres arman tanto revuelo con el Everest, solo es una montaña».

Junko siempre fue una niña frágil. Era la más pequeña de la familia y muy a menudo sufría de problemas respiratorios. Nada parecía indicar que se convertiría en una gran alpinista. Sin embargo, la verdadera fuerza no solo reside en el cuerpo, sino también en la voluntad y la pasión.

Con apenas diez años, Junko y sus compañeros de clase escalaron el monte Nasu, en el parque nacional de Nikkō (Japón). Los colores y los olores de aquel frío paisaje quedaron grabados en su memoria, y enseguida supo que quería ser ALPINISTA.

Con el tiempo, Junko prosiguió sus estudios y se licenció en filología inglesa, aunque sin renunciar a su sueño. Escalaba por afición, pero se cansó de hacerlo acompañada siempre de hombres que, al parecer, creían que practicaba el alpinismo para buscar marido. En 1969 fundó el CLUB FEMENINO DE ALPINISMO y organizó una expedición al Annapurna III (7555 metros), en Nepal, que comportó grandes desafíos. El frío era tan intenso que congelaba las películas de las cámaras de fotos y las rompía en mil pedazos. Una vez concluida esa primera gran empresa, Junko se propuso escalar el MONTE EVEREST (8848 metros), pero le costó mucho encontrar patrocinadores interesados en financiar la expedición. De hecho, parecía que nadie creía que un grupo de mujeres pudiera realizar aquella gran hazaña. Junko se entrenó durante cinco años, y en 1975 emprendió el ascenso a la cumbre acompañada por quince escaladoras y un grupo de SHERPAS. Cuando se encontraban a 6300 metros de altitud, una avalancha arrasó el campamento de las alpinistas. Por suerte, todas ellas sobrevivieron, aunque Junko permaneció inconsciente durante un tiempo. Gracias a su coraje y a su capacidad de sobreponerse, Junko se convirtió muy pronto en la primera mujer que había coronado el Everest.

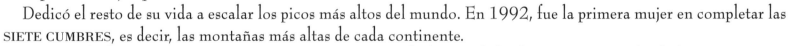

Dedicó el resto de su vida a escalar los picos más altos del mundo. En 1992, fue la primera mujer en completar las SIETE CUMBRES, es decir, las montañas más altas de cada continente.

En 2012 le diagnosticaron un cáncer, pero ni siquiera eso la detuvo; de hecho, continuó escalando hasta poco antes de su muerte, en 2016. Su pasión por la montaña y su gran determinación la convirtieron en una de las alpinistas más queridas del mundo.

SUPERAR FUKUSHIMA

Junko nació en Fukushima, el territorio japonés afectado en 2011 por un grave accidente nuclear. Un año después de esa tragedia, Junko llevó a un grupo de estudiantes y niños afectados por la radiación a escalar la cumbre del monte Fuji. Decidió repetir aquella hermosa experiencia anualmente. En julio de 2016, con setenta y seis años, realizó la última escalada con ese grupo.

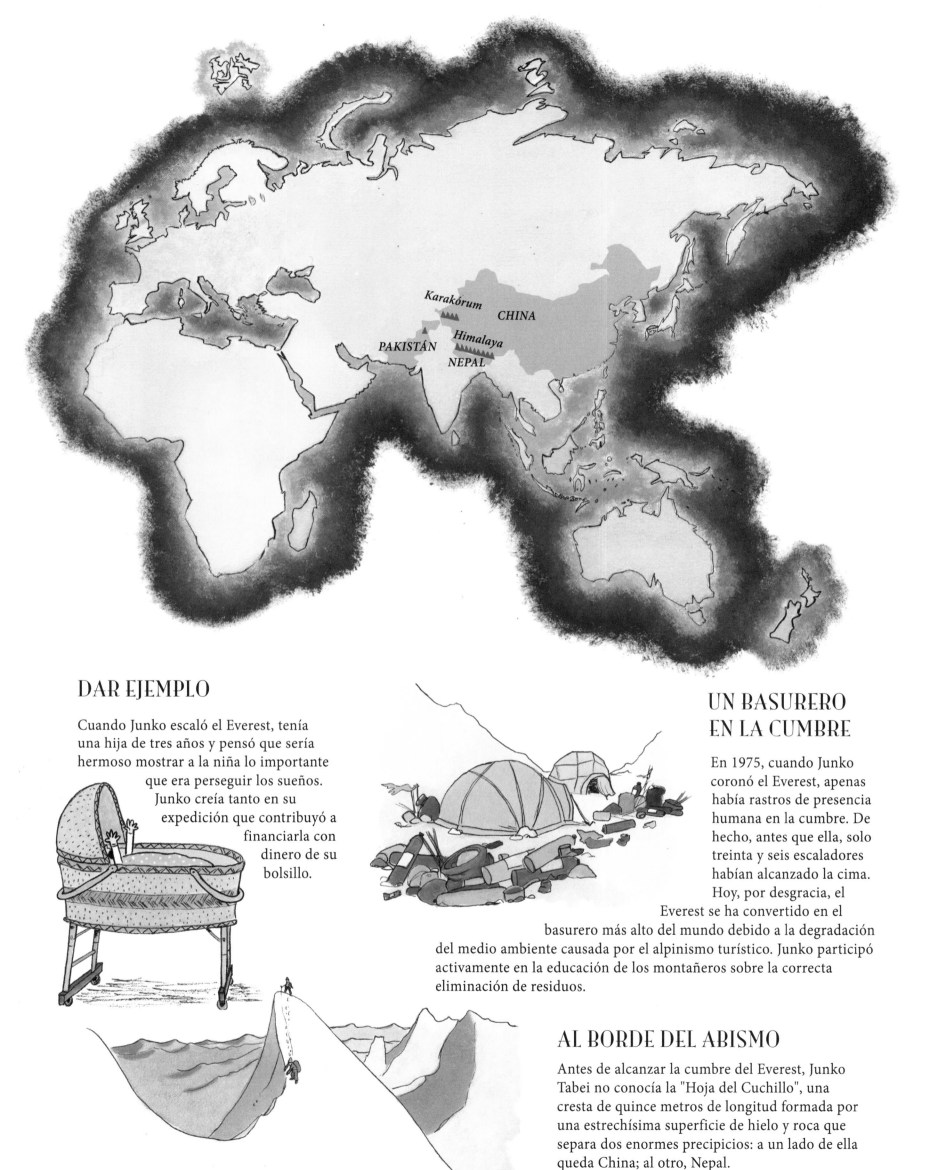

Karakórum

CHINA

Himalaya

PAKISTÁN

NEPAL

DAR EJEMPLO

Cuando Junko escaló el Everest, tenía una hija de tres años y pensó que sería hermoso mostrar a la niña lo importante que era perseguir los sueños. Junko creía tanto en su expedición que contribuyó a financiarla con dinero de su bolsillo.

UN BASURERO EN LA CUMBRE

En 1975, cuando Junko coronó el Everest, apenas había rastros de presencia humana en la cumbre. De hecho, antes que ella, solo treinta y seis escaladores habían alcanzado la cima. Hoy, por desgracia, el Everest se ha convertido en el basurero más alto del mundo debido a la degradación del medio ambiente causada por el alpinismo turístico. Junko participó activamente en la educación de los montañeros sobre la correcta eliminación de residuos.

AL BORDE DEL ABISMO

Antes de alcanzar la cumbre del Everest, Junko Tabei no conocía la "Hoja del Cuchillo", una cresta de quince metros de longitud formada por una estrechísima superficie de hielo y roca que separa dos enormes precipicios: a un lado de ella queda China; al otro, Nepal.

ANN BANCROFT (1955)

«Tuve la suerte de haber contado con buenos profesores que me apoyaron».

Cuando era pequeña, a Ann Bancroft le diagnosticaron DISLEXIA, un trastorno en el aprendizaje de la lectoescritura que complicó los estudios que cursaba en la escuela de Minnesota. Dado que no quería sentirse diferente de sus compañeros de clase, Ann trató de ocultar su discapacidad a los profesores y se esforzó por salir adelante. Sin embargo, cuando los maestros descubrieron la razón por la que sacaba malas notas, no dudaron en apoyarla, ya que Ann soñaba con ir a la universidad.

Ese apoyo fue tan valioso para ella que decidió que, en el futuro, sería MAESTRA. Sus profesores la ayudaron a desarrollar la confianza en sí misma y el coraje necesarios para afrontar cualquier desafío. Estas cualidades le resultarían de gran utilidad a la hora de emprender otro de sus mayores sueños: la EXPLORACIÓN.

En 1986, Ann fue la primera mujer en llegar al Polo Norte a pie. A ese primer logro le siguieron muchos otros. En 2001, ella y su compañera Liv Arnesen fueron las primeras en recorrer la Antártida de un extremo a otro en esquí. La hazaña le valió el apodo de "Reina del Hielo". Además, Ann se convirtió en la única mujer que había pisado los dos polos geográficos de la Tierra.

Durante sus exploraciones polares, Ann pudo comprobar las consecuencias del deshielo causado por el CALENTAMIENTO GLOBAL. Este fenómeno, del cual la humanidad es en gran parte responsable, supone una seria amenaza para el futuro de nuestro planeta. Ann se ha reunido con autoridades gubernamentales y estudiantes de todo el mundo con el fin de llamar la atención sobre este problema. Como educadora y exploradora, confía en la capacidad de los jóvenes para cambiar la situación y garantizar el futuro de la Tierra y sus habitantes.

CHICAS *SCOUT*

En 1997, creó una Fundación que llevaba su nombre para ayudar a niñas y mujeres a cumplir sus sueños. Además, Ann es miembro de numerosas asociaciones medioambientales y portavoz de las Girl Scouts de Estados Unidos.

TODA UNA PROEZA

En la expedición al Polo Norte participaron, además de Bancroft, siete hombres, cuarenta y nueve perros y cuatro trineos. Dos personas abandonaron la misión, pero el resto alcanzaron la meta tras haber recorrido 1600 kilómetros a pie en cincuenta y seis días.

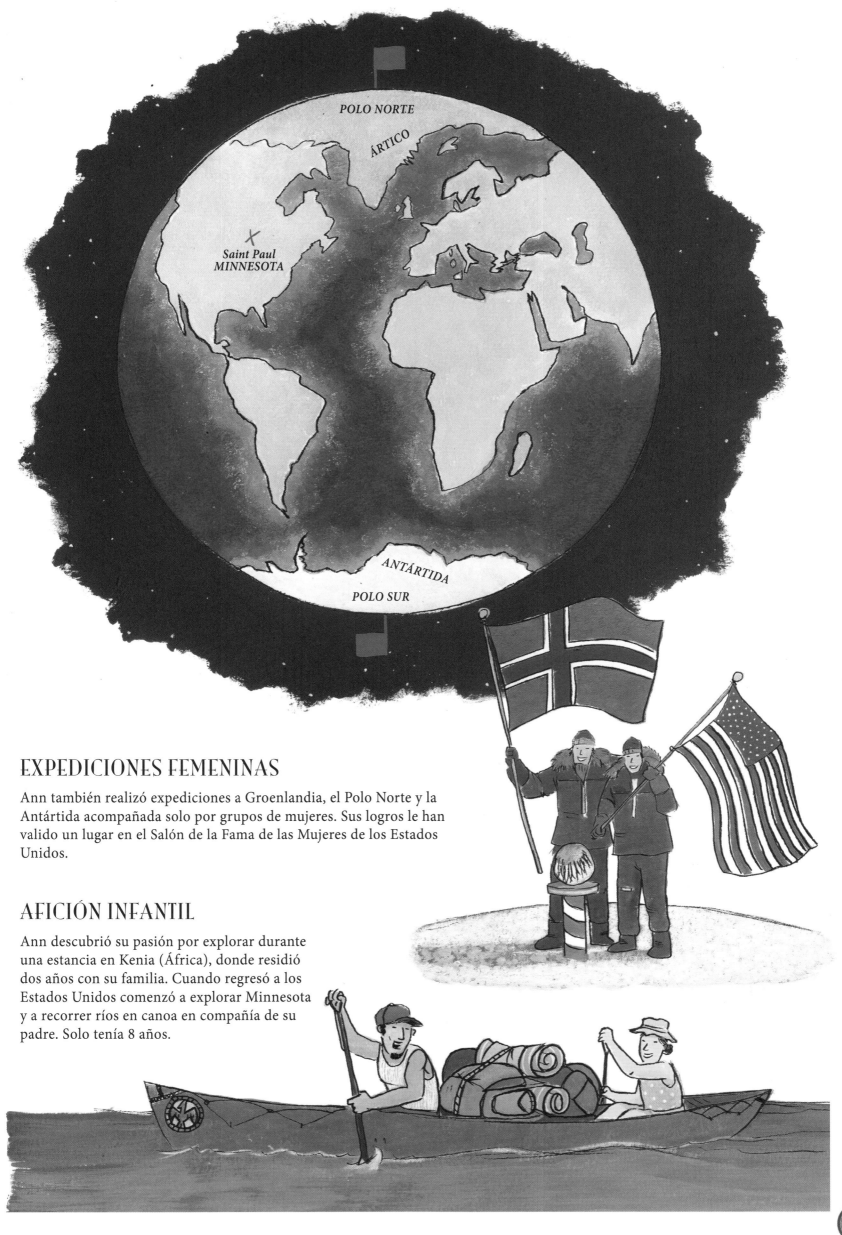

EXPEDICIONES FEMENINAS

Ann también realizó expediciones a Groenlandia, el Polo Norte y la Antártida acompañada solo por grupos de mujeres. Sus logros le han valido un lugar en el Salón de la Fama de las Mujeres de los Estados Unidos.

AFICIÓN INFANTIL

Ann descubrió su pasión por explorar durante una estancia en Kenia (África), donde residió dos años con su familia. Cuando regresó a los Estados Unidos comenzó a explorar Minnesota y a recorrer ríos en canoa en compañía de su padre. Solo tenía 8 años.

En el transcurso de la expedición al Polo Norte ocurrió un extraño accidente. Estábamos a punto de retomar la caminata cuando el avión que nos traía las provisiones aterrizó y, acto seguido, empezó a derrapar por el hielo.

Muertos de miedo, vimos que se dirigía hacia nosotros. La hélice del avión chocó contra el trineo en el que teníamos los equipos y estropeó una de las raquetas de nieve de Liv. Por suerte, solo fue un susto. Arreglamos la raqueta y nos marchamos.

Ante nosotros se extendía el océano Ártico; teníamos provisiones para dos meses. El viento era tan fuerte que rasgaba el suelo y los trozos de hielo volaban por todas partes. Incluso cuando utilizábamos las raquetas, parecía que caminábamos sobre la arena. Al final, la raqueta de Liv se rompió y, en muy poco tiempo, se le congelaron tres dedos del pie.

Las dos sabíamos que, con aquel clima tan extremo, Liv no podía continuar con la raqueta rota, así que decidimos desistir y volver.

A muchas personas no les gusta hablar de sus fracasos, pero yo siempre les cuento esta historia a los niños. A veces, las situaciones escapan a nuestro control. Cuando esto ocurre, lo mejor que uno puede hacer es evitar que el error se convierta en un error grave. Si Liv y yo hubiéramos decidido continuar, seguramente nunca habríamos regresado. Aquel fracaso nos sirvió, en definitiva, para aprender y crecer. **"**

Ann Bancroft

EDURNE PASABÁN (1973)

«Al encontrarme al pie de una montaña de ocho mil metros, me di cuenta de lo pequeños que somos en comparación con la naturaleza, y por eso la respeto».

Hay empresas que pocas personas han podido llevar a cabo en la historia de la humanidad, como circunnavegar el mundo, cruzar un desierto, explorar el espacio o ascender a los picos más altos del planeta. La alpinista española Edurne Pasabán ha sido LA PRIMERA MUJER DEL MUNDO EN ESCALAR TODAS LAS MONTAÑAS DE MÁS DE OCHO MIL METROS, un triunfo legendario que, hasta hoy, solo han alcanzado cuarenta personas.

Naturalmente este logro le exigió una gran dosis de dedicación y esfuerzo, pero Edurne parece haber nacido para escalar. Se inició en el mundo del alpinismo cuando tenía tan solo catorce años y decidió asociarse al Club Alpino de Tolosa. A los dieciséis años escaló el MONT BLANC, el MONTE CERVINO y el MONTE ROSA, tres cumbres de más de cuatro mil metros. Con el tiempo empezó a escalar picos cada vez más altos y, entre los dieciséis y los veintiún años, coronó la cima de varias montañas de más de seis mil metros. Quienes practican el alpinismo saben perfectamente que no basta con ser experto para conquistar un ochomil. De hecho, la primera vez que Edurne intentó escalar el Dhaulagiri, en el HIMALAYA, tuvo que abandonar su propósito. Consiguió llegar muy cerca de la cima, a unos 8167 metros sobre el nivel del mar, pero había demasiada nieve blanda y se vio obligada a descender poco antes de llegar a la cima. Diez años más tarde, después de otros dos intentos fallidos, conseguiría al fin culminar aquel enorme desafío. Mientras tanto, Edurne cosechó otros éxitos, entre ellos, el ascenso de su primer ochomil: el MONTE EVEREST, cuya cumbre coronó en mayo de 2001, después de dos intentos fallidos.

Edurne siempre escaló en compañía de otros alpinistas, entre los que solía encontrarse su marido.

Pronto resultó evidente que aspiraba a que la recordasen como la primera mujer en ascender los catorce ochomiles, los picos más altos del planeta. A fuerza de mucho empeño y tesón, y tras múltiples intentos, el 17 de mayo del 2010 Edurne pisó la cima del decimocuarto, el SHISHA PANGMA, y se aseguró de ese modo un lugar en la historia. Tardó diez años en completar la colosal hazaña, que le comportó varias visitas al hospital por daños de congelación en las manos y en los pies. Hubo momentos en que, exhausta y sin fuerzas para emprender el descenso, corrió el riesgo de morir de frío en la cumbre. Con todo, la determinación y la valentía de Edurne la han convertido en una de las mayores alpinistas de todos los tiempos.

EN TELEVISIÖN

En 2003, Televisión Española (RTVE) comenzó a filmar las excursiones de Edurne Pasabán y las transmitió en *Al filo de lo imposible*, programa que la convirtió en una estrella de la televisión. Adorada por el público, Edurne aprovechó la oportunidad para que los telespectadores se enamorasen también del alpinismo.

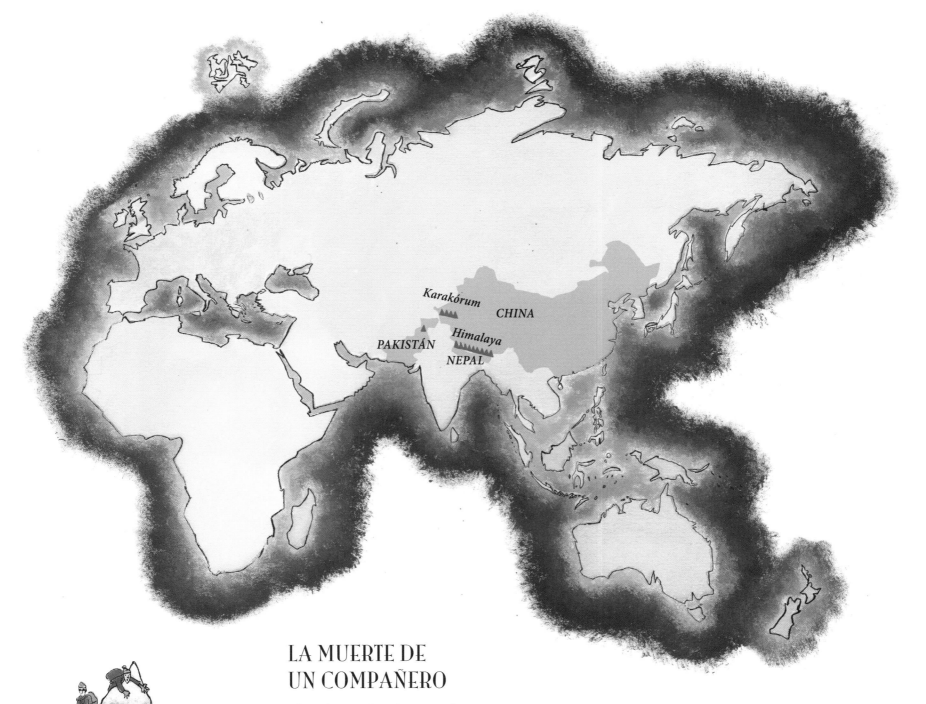

Karakórum

CHINA

PAKISTÁN

Himalaya

NEPAL

LA MUERTE DE UN COMPAÑERO

El 12 de octubre de 2001, durante un descenso del Dhaulagiri, en Nepal, el alpinista aragonés Pepe Garcés resbaló y se cayó al vacío. Fue una gran pérdida para la comunidad del alpinismo y también para Edurne, que siempre tuvo muy buena relación con sus compañeros escaladores.

SUMINISTRO DE OXÍGENO

Para mantenerse con vida en la cumbre del monte Everest y durante el descenso del Kanchenjunga, Edurne usó una botella de oxígeno, ya que, a mayor altura, hay menos oxígeno en la atmósfera.

LOS 14 OCHOMILES

Los picos de más de 8000 metros se encuentran en China, Pakistán, Nepal y la India. De ellos, nueve forman parte del Himalaya; cuatro, de la cordillera del Karakórum y uno, de Cachemira.

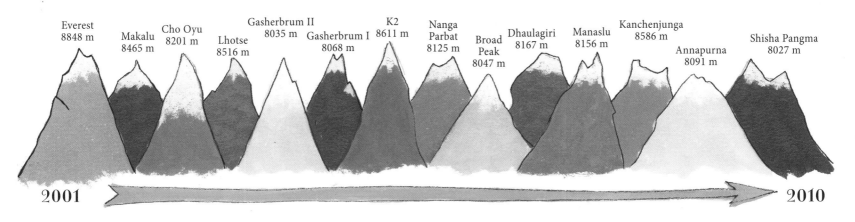

Everest 8848 m — Makalu 8465 m — Cho Oyu 8201 m — Lhotse 8516 m — Gasherbrum II 8035 m — Gasherbrum I 8068 m — K2 8611 m — Nanga Parbat 8125 m — Broad Peak 8047 m — Dhaulagiri 8167 m — Manaslu 8156 m — Kanchenjunga 8586 m — Annapurna 8091 m — Shisha Pangma 8027 m

2001 → 2010

La propia montaña me enseñó que el viaje es más importante que el destino. De hecho, cuando llegué a la cumbre del Shisha Pangma, mi último ochomil, muchos se sorprendieron al ver que no estaba exultante. Acababa de convertirme en la primera mujer que había escalado las montañas más altas del mundo, pero daba la impresión de que no veía la hora de bajar.

Obviamente estaba contenta y satisfecha con el resultado, pero me di cuenta de que estar en la cumbre era solo un paso que tenía que dar para completar la aventura. Los momentos más emocionantes se viven antes, cuando una está luchando por el ascenso a pocos metros de la cima. En esos momentos, una felicidad y una energía increíbles inundan el cuerpo, porque caemos en la cuenta de que nada ni nadie puede detenernos.

Las cumbres de los ochomiles siempre estarán donde las dejé, pero la determinación y la perseverancia que conquisté paso a paso con cada ascenso me acompañarán durante toda la vida. "

Edurne Pasabán

LAURA DEKKER (1995)

«Me encantan los barcos. Allá donde vayas, te puedes llevar fácilmente la casa contigo».

A los dieciséis años, Laura Dekker dio la vuelta al mundo a bordo de un VELERO DE DOCE METROS DE ESLORA. Viajaba sola y recorrió 40 000 kilómetros por mar.

La hazaña puede parecer increíble a los ojos de cualquiera, pero no lo era para Laura, que había nacido en un barco. La pequeña vino al mundo en el puerto de Whangarei, en Nueva Zelanda, durante un viaje en el que sus padres navegaban por el océano Índico. Pasó en aquel mismo barco los primeros cuatro años de su infancia, y cuando cumplió seis años, su padre le regaló un bote de fibra de vidrio con el que aprendió a navegar en los canales de Wijk bij Duurstede (Países Bajos).

Aquella pequeña embarcación, sin embargo, no le permitía desplazarse demasiado lejos, y Laura empezó a trabajar para comprar un Hurley 700 de siete metros de eslora, un velero al que llamó *Guppy*, junto al cual protagonizó sus primeras aventuras.

Un día, cuando Laura tenía tan solo trece años, su padre recibió una llamada de las autoridades portuarias de la ciudad de Lowestoft, en Inglaterra. Laura había navegado sola hasta allí y le reclamaban que fuera a buscarla.

Pero la joven soñaba en grande: albergaba el propósito de DAR LA VUELTA AL MUNDO en velero. Su padre la alentó a cumplir el sueño, y para que pudiera llevar a cabo la ambiciosa empresa le regaló un barco más grande, al que ella volvió a llamar *Guppy*.

Mientras tanto, las autoridades locales y la opinión pública de los Países Bajos hicieron todo lo posible para impedir que el plan se llevara a cabo. Incluso el Juzgado Nacional de Menores de los Países Bajos intervino para tomar cartas en el asunto, pues consideraba que Laura era demasiado joven para emprender una travesía tan peligrosa. Tras superar las numerosas trabas legales que encontró por todas partes, Laura pudo al fin zarpar de la ciudad holandesa de Den Osse rumbo a Gibraltar. Allí inició oficialmente su viaje de circunnavegación el 21 de agosto de 2010.

Laura tardó 518 días en culminar su hazaña, durante los cuales surcó aguas amenazadas por piratas y se enfrentó a condiciones meteorológicas adversas. El 21 de febrero de 2012, con dieciséis años, completó su vuelta al mundo en la isla de San Marín, en el mar Caribe, y su nombre saltó a la fama. En la actualidad, Laura sigue navegando y vive en el *Guppy* con su marido Daniel. Planea continuamente nuevos proyectos y se asegura de compartirlos con los miles de seguidores que visitan su blog.

EL PERRO SPOT

Laura llevaba libros escolares en el velero con el que dio la vuelta al mundo, pero le fue imposible llevarse a Spot, su viejo e inseparable compañero de aventuras.

SIEMPRE CONECTADA

Aunque viajaba sola en su velero, Laura nunca estuvo realmente desconectada del mundo. Documentó todo su viaje en un blog en el que publicaba artículos a diario, excepto durante los doce días que tardó en cruzar las zonas infestadas de piratas del océano Índico.

GUPPY

En 2018, Laura donó su velero *Guppy* a una organización benéfica estadounidense. El barco había encallado en los arrecifes de coral del atolón Manihiki de las islas Cook, en Nueva Zelanda, y quedó inservible. La joven lamentó mucho la pérdida de aquel antiguo compañero de aventuras.

ESPÍRITU REBELDE

Cansada de los obstáculos jurídicos con los que tropezó en los Países Bajos, donde incluso llegaron a pedir que la detuvieran y la pusieran bajo la tutela de los servicios sociales al regresar del viaje, Laura arrió durante la travesía la bandera holandesa e izó la de Nueva Zelanda, su país natal.

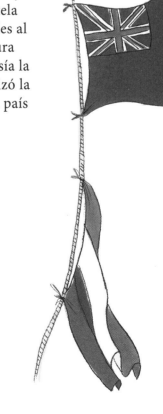

"No podría tener un mejor día de cumpleaños. Me encuentro en Australia, en la ciudad de Darwin, en mitad del viaje. Estoy aquí con mi padre, mis amigos, algunos globos y un pastel. He recibido muchísimos mensajes y correos de felicitación de amigos, seguidores y lectores del blog. Siento como si miles de personas me abrazaran. Mi padre llegó hace unos días y juntos revisamos a Guppy. Nos espera el océano Índico y debemos estar preparados.

Mañana mi amiga Jillian regresa a los Países Bajos, así que estoy un poco triste. Voy a echarla de menos, al igual que a mi familia. Pero, al mismo tiempo, estoy impaciente por ponerme a merced del viento, pues sé que sopla para mí. Izará las velas y me impulsará más allá del horizonte, donde me esperan el mar, el cielo, las estrellas, el sol y el silencio. Allí fuera, estaré sola con mis pensamientos."

Laura Dekker